JN010614

モリナガ・ヨウの

プラモ迷宮日記

第3集［フラットレッドの巻］

ひまわり
フラワー用ワイヤー
No.30
¥120
⇩カバー絵のナースホルンは特別感いっぱいでいろいろ作りこみたくなるキットです。
ポリキャップ（小）に切り込みを入れる組立図に指示がある。
金属棒
カゴの縁を削ったり。これはドラゴンの。
機銃架にMG34をつけよう。
省略されたU字の銃架を作りたい。
車内のMG34ラックから銃を切り離し、固定具をそれらしく。
ほとんど見えないし。
伸ばしランナーにピンバイスで穴を開けて、チクワ状にします。それをカットして工作しました。
左右あるから2コ
軸のところはこんな感じに。
砲弾ケースのフタも薄いプラ板でより本物っぽく！
ヒンジはキットのをそのまま
ラックのこの辺は見えるし大変そうだからいじらない。
上から見えるガスマスクケースも味足す
プレスの段差。
針金大活躍
意外とよく見える砲手シートのバネも自作してみました。
ここの所。
ばねばね
くるくる
楊枝に針金を巻きつけて、円錐状にしてみます。
おお、できた！
その後、元のキットのバネを切り落とし自作バネと交換。先にいきなり切り落とさないところは大人になった気がしました。
こういう細かいパーツの切り出しは、ハセガワトライツールのエッチングのこぎりが重宝しています。
⇩トラベルロックも踏みこんでみたい！
キット。これはこれで冷静な判断です。
エッチングパーツ。どうしても平面なのです。
溶きパテ
削ってバネ仕込んで
それっぽく！
ロック解除装置は伸ばしランナーなど。
うんと細い
「輪」は使わないエッチングの残り。
試行錯誤ありました。
ワイヤーのガイドは秘蔵の鉛板で
ワイヤーは備蓄のリード線をよじって作りました。
脚つけ根のバネも現物合わせで曲げました。
それなりに複雑な折れ曲がりなので左右2コが限界かも。
一応長さの目印はつけました。
こんな作業で半日潰す。
小さくてピンセットで持てずニードルで保持。
さて、1ミリぐらいのチクワ切り出しの何が楽しいのでしょう。
思うに模型工作とは縮少世界を旅することなのです。
子供のころ物語りの世界を主人公になりきって冒険したのと同じように、異世界を冒険しているのです。
しかも仮想ではなく、ミニチュアという異世界は机の上に実在しているではないですか！
そしてこれは子供時代でも大人になっても変わらないのです。
これはそんな本です
それはそれとして、今回このワイヤー20センチも使ってません。
買ったの30年くらい前じゃないかしら
……
消費税前かもよ。
少しずつしか減らない。
はたして今後使い切れるんでしょ～か？
時間可視化
出番待ってるよ
備蓄パーツ
クサリ
ワイヤー
プラグコード
タスカのボッシュライトを使ったため、余った玉つきライト。
わしはどうなるんじゃ！
Ⓒ2020

PLAMO MEIKYU DIARY

Vol.3［Flat red］

プラモ迷宮日記 第3集［フラットレッドの巻］

III号戦車

1990年代の終わり、東京・三鷹のフリーマーケットでのことであった。友人と共に訪れたある男性は、出店で一つの箱を見つけた。
様々な日用品や古道具、子供が成長して不要になったのか幼児の知育玩具に混じって、少し黄ばんではいるがすっきりとした白い背景にリアルな戦車と兵士の絵が印刷されている。彼はこれがいつごろのものか知ろうとして箱を開けてみた。
部品の付いている枝にある銘板を見ると、なんと1971年（昭和46年）の田宮模型製品だった。「そうだ、小学生のころわくわくして模型店でながめた二つ星の描かれているプラモだ」。子供心にも強く印象づけられた、精密でどこか大人びた戦車模型に間違いなかった。
連れの若い男が驚いたように声を上げた。「俺の方が、この模型より歳が若いぞ！」。
このプラスチック製模型、世界標準スケール35分の1に縮小された精密模型。それはお正月のコタツの上で、陽光輝く夏休みの縁側で、遠くイギリスの片田舎やアメリカの大都会のアトリエで、年齢を問わず楽しまれているプラモデル。そんなプラスチックモデルの歴史を語るためには、19世紀末まで時を遡らなければなりません。
そもそもプラスチック（plastic）は「自由に形にできる」「塑造できる」という意味の言葉から来ています。最初の人工プラスチックは1870年アメリカのジョン＝ハイアットが特許を取得した、ニトロセルロースと樟脳から作ったセルロイドでした。
ただこのセルロイドは天然素材を使用しているため完全な人工合成樹脂とは言えません。今日的な意味での完全なプラスチックは、20世紀に入った1907年工業化に成功したベークライトです。ベルギー系アメリカ人のレオ＝ヘンドリック＝ベークランドの発明でした。
本格的なプラスチック製品の生産・消費が始まるのは第二次世界大戦後になります。あらゆる生活用品がプラスチック製品に置き換わっていきました。模型もその例に漏れません。
世界初のプラスチック製模型は、1936年のイギリスはフロッグ社の戦闘機シリーズだと言われていますが、日本には1950年代初めごろ駐留米軍関係者から持ち込まれたようです。
プラスチックモデルは海外からの輸入品として登場したのでした。木材を主原料にしていた日本模型業界は大変な危機感を覚えました。
「こだわりをすべて捨ててプラスチックという新素材に挑戦する」（『田宮模型をつくった人々』／文藝春秋刊）という田宮俊作会長の言葉に、当時の冒険に漕ぎ出すような空気が感じ取れます。その後、1962年発売の［パンサータンク］大ヒット以降の歴史はよく知られておりましょう。
遥か縄文時代にも動物などのミニチュアは存在しました。ギリシャ・ローマ時代の、粘土や金属でできた兵士の人形も発見されています。縮小された模型は見るものの魂のサイズを自由に変える力を持っています。
プラスチックモデルは人類の模型歴史の流れの上に、今も我々を楽しませているのでした。

★この本の内容の大半は、模型雑誌のなかでもより専門的で、戦車に特化した『アーマーモデリング』誌で連載されたイラストエッセイです。
★第３集は、2012年刊行の第２集から約八年にわたるミリタリーモデルの進化および深化を、とにかく組み立てることにより記録した記事を集めた書籍です。
★また、市販のプラモデルを組み立てて記事にする仕事から、いつしかプラモデルそのものの仕事をしはじめることになった著者の仕事ぶりを巻末に収録。
★業界関係者や架空のキャラクター、擬人化された戦車模型など同列に登場。
★書籍全高257mm、全幅210mm。
★カバーにはマットPPコート処理により、フラットレッドの艶消しの感じをリアルに再現。
★カバーはかけたままか、はずしての二種類の読み方が選べます。
★あわてていっぺんに読もうとせず、身体と相談しながらゆっくり読みましょう。
★白黒頁が混ざっていますが、印刷ミスではありません。
★第１集［フィールドグレイの巻］、第２集［ガンメタルの巻］が発売されています。

PLAMO MEIKYU

96p

第１集、第２集も好評発売中です。
書店などでお買い求めください。

プラモ迷宮日記

第１集………本体2,500円
第２集………本体2,500円

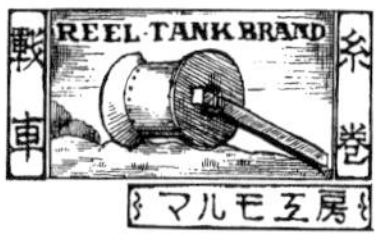

【目次】

【本文以外の図版初出一覧】
●カバー：描き下ろし　2020年5月
●2頁　：描き下ろし　2020年5月
●3頁　：描き下ろし　2020年5月
●4頁　：描き下ろし　2020年5月

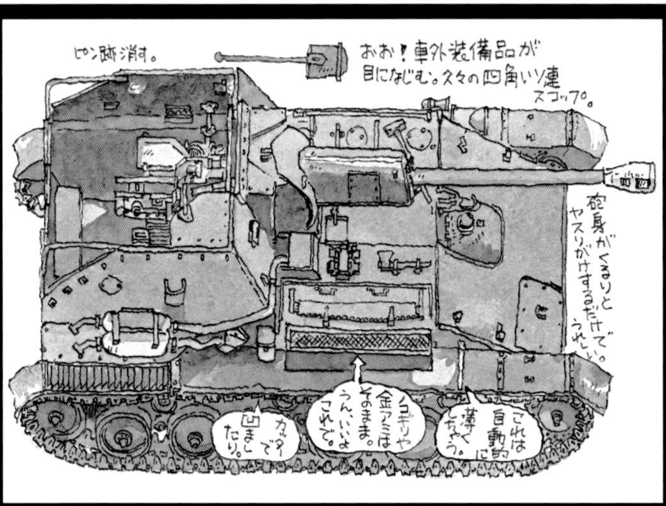
ピン跡消す。
おお！車外装備品が目になじむ。久々の四角いソ連スコップ。
砲身がくるりとヤスリがけするだけでうれしい。
これは自動的に薄くしちゃう。
ノコギリや金アミはそのまま。うん、いいよこれで。
カッターで凹ましたり。

第1章

①モケイコラムの組立

《タミヤ35MM雑記帖》
1998年、タミヤMM30周年を記念した連載で模型雑誌デビューを果たした著者。以後タミヤMMは本書第３集発刊までに40～50周年を迎えたが、その進化は著者の指先により記録されていた。

MM50年
えと文/モリナガ・ヨウ
MM50年おめでとうございます。子供のころから作ってて、模型誌に関わるようになって20年(T_T)。そこからのことも踏まえて、つらつら書いてみようと思います。
またはすっかりオジサンになったモデラーの寝言。
お題は新製品のスチュアート
…みんなそんな楽しみにしてたの？
ちっちゃいしすぐできそう
転輪少ないし
大人気！
戦場で大活躍したの？
M3 STUART
LATE PRODUCTION
群しくはよく知らないけど面白そうじゃないかッ
「これはとって」らしい。そのまま。
もう金アミモールドもこのまま肯定。余計な工作しないっ。
本物は更に上にアミがまたあるよ
詳しい道人
切って組んで流しこむと、すぐ次のステップ。何だか異次元の速度感
もりもり完成!!
スポンジヤスリで軽くなでる。
削った
成形技術が上がって、パーティングラインほとんど目立たず。余計なことしちゃいけないと思うレベルです。
ムカシ
銃口は開けたけど
昔は金アミ取りかえたりしたねえ
この辺の足まわりパーツ、パーティングラインも接着線もよく見えないからそのまま
止め具は…いつか気が向いたら
あっ！ベルト式は楽でいいよね
あらためてスゴイところ
組み立てにストレスがないというのは
思考が横に飛ばないということ
MMのプラモは作業のジャマしないんですねえ
世界はプラモと自分だけ
しかも「ちゃんとカッチリ」できる
図工好きなら快感でしょう
作業中は暗黒戦史
知識もふっとぶ感
こういう所は古典的トロトロタイプで。
あと溶接線と接着線が同じところも心理的負担が少なかったです。
砲塔ハッチの内側。押しピン跡も薄くて軽くヤスリ平たくかければ消える。
通称「いいピン跡」
たとえばボルト止め装甲板に、接着剤がはみ出したら興ざめだけど、裏から流せるひと工夫で安心。
ピン跡ゼロにするなら、外に出す考えもあります。無限こいう切断作業は作業リズムを止めがちです。
プラモ迷宮①の50p.
・起動輪の湯口も2～3カ所。しかも裏側。ヤスリでチリチリっと削りました。
ザー

【初出：月刊アーマーモデリング　2018年10月号、No.228】
★タミヤのミリタリーミニュチュアシリーズ50周年記念イラスト。《道人》（6頁右端の人物）とは、アメリカ軍戦車の泰斗・丹羽和夫さん。
タミヤのM3スチュアートの組立図に実車解説文を書いてらっしゃいます。（モ）

つくづく「組み立てエンターテイメント」として考えられていると思います。
9
エアクリーナー
ここの接着線は消しておこう
たのしいMMコース
余計なことしてると置いてくよ〜
雑具箱のカゲで見えなくなった……。
考証樹海
リズムを考えてますね
わき道例
ライトガードは少し削りました。薄くすると土台にスキマが開くのでプラ材はめて、パテで整形。
ヤスリでモールド削らないようにマスキング
©年齢や経験ごとに楽しめるのがMMのいいところでしょう。小学生の時でもちゃんと組みたてられました。
リアルだっ
大人になって技術が上がり……だんだん能力が落ちてくるとだ!?
お金も工具とか。
腕章塗り分けちゃうぞ
ルーペ
スマホ買って
ムスメ
裸眼で見えるところまで
解像度下がる
無限に作り込み続ける流れももちろんあります。
…良く見えないし気力も根性も無くなるなんて思いませんでした。でもちゃんと形になってうれしいです。
…でもライトコードはやらない自分ルール？
趣味だから自分ルールでいいのっ
M1919機関銃
うおっ!?突然…いや作業後半でだいぶ慣れたころですが。
わざとかっ？
これはザ・縮少模型
やってやろうじゃないか
可動
ふうふう。ちゃんとできた。
ここの接着線どうしましょ。
この丸い脚のパーツも床に落としてずいぶん探した。
「プラモは床掃除から」は基本中の基本。
子供のころは本を見ながら三脚銃架を切り刻んでたのにねえ
『覚書ドイツ軍』
大人になるとさみしいねえ。
PAINTING & MARKING
色も塗りました。…とは言ってもベースカラー一色と、ゴム部と銃に適当な暗い色。
汚し用道具もいっぱい増えて楽しいです。
それより何だこのマーキングは
緊迫感台無しのアメリカンムード♥
つや消しスプレーとかいろいろなじませました。
箱絵みたいに地色明るくするべきでした。
A10以来のデカール量。
デカールあんまり貼らない。
てきとうな文鎮
©でも大人になったから、履帯が浮かないように接着しましたよ。
接着履帯がくっつくまで、ちゃんと1日待てるようになりました。
人形について
小学・中学のころに出会った人形たちは、一緒に人生を重ねた気がします。
モデラーのカニオさんは「同級生みたい」という表現を。
やあ、
久しぶり!
機関銃チームセットの彼
しかも人形は昔のまま。
時々は作ってるよ
その後の人形たちに同じ関係を求めるのは難しいですね。
ドラゴンワゴン
人生一度きりだ
みなさんそれぞれの人生のタイミングで出会っていくのでしょう。
選択式（余りソ連兵ヘッド）
え
最近の人形は未来を感じます。
3Dリアル
田'18
1988-2018

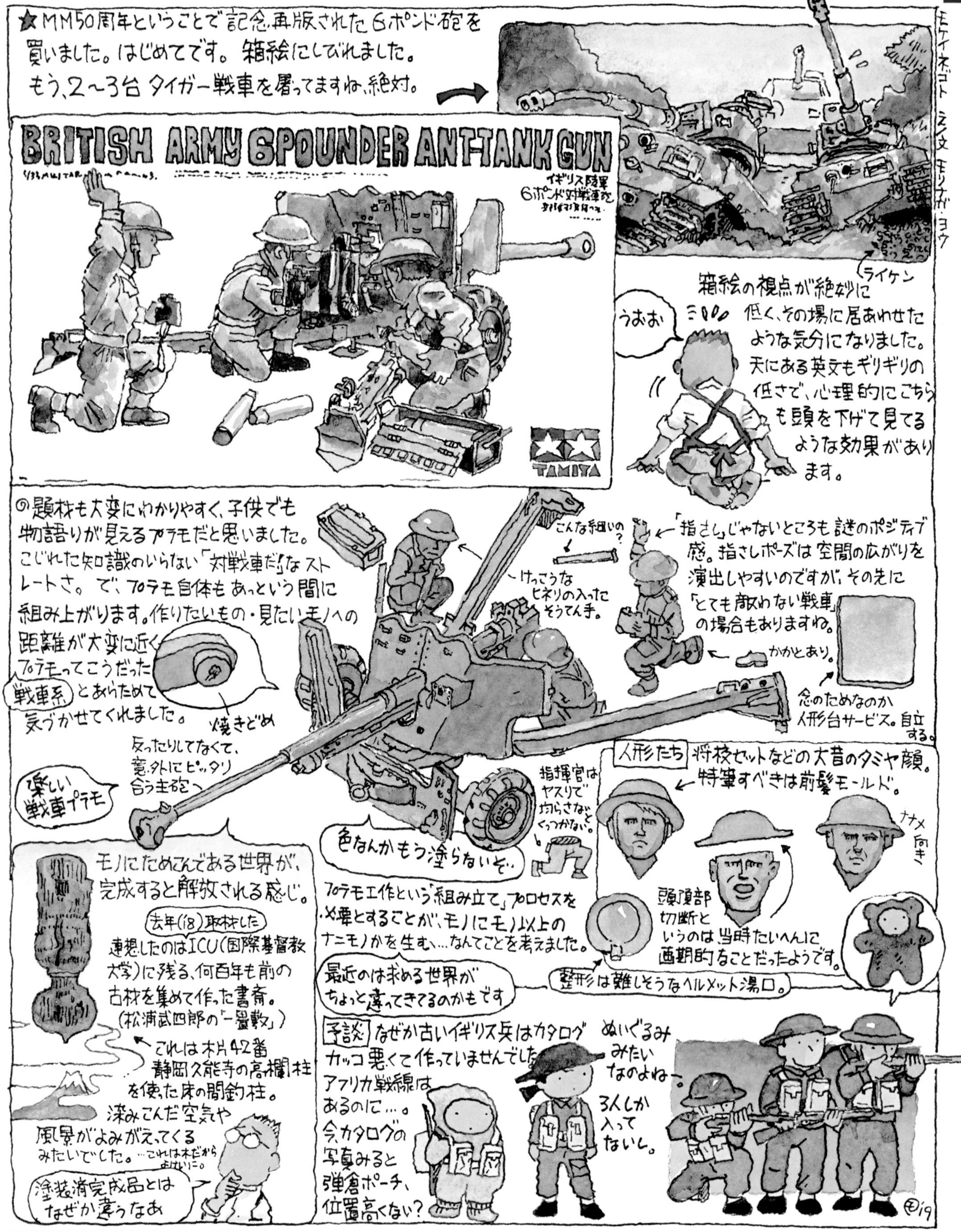

モケイネゴト え文 モリナガ・ヨウ
★MM50周年ということで記念再版された6ポンド砲を買いました。はじめてです。箱絵にしびれました。もう、2～3台タイガー戦車を屠ってますね、絶対。
BRITISH ARMY 6POUNDER ANT-TANK GUN
イギリス陸軍 6ポンド対戦車砲
ライケン
箱絵の視点が絶妙に低く、その場に居あわせたような気分になりました。天にある英文もギリギリの低さで、心理的にこちらも頭を下げて見てるような効果があります。
うおお
の題材も大変にわかりやすく、子供でも物語りが見えるプラモだと思いました。こじれた知識のいらない「対戦車だ!」なストレートさ。で、プラモ自体もあっという間に組み上がります。作りたいもの・見たいモノへの距離が大変に近く、プラモってこうだった 戦車系 とあらためて気づかせてくれました。
焼きどめ
こんな細いの？
けっこうなヒネリの入ったそうてん手。
「指さし」じゃないところも謎のポジティブ感。指さしポーズは空間の広がりを演出しやすいのですが、その先に「とても敵わない戦車」の場合もありますね。
かかとあり。
念のためなのか人形台サービス。自立する。
反ったりしてなくて、意外にピッタリ合う主砲～
楽しい戦車プラモ
指揮官はヤスリで均らさないとくっつかない。
色なんかもう塗らないぞ.
人形たち 将校セットなどの大昔のタミヤ顔。特筆すべきは前髪モールド。
ナナメ向き
頭頂部切断というのは当時たいへんに画期的なことだったようです。
整形は難しそうなヘルメット湯口。
モノにためこんである世界が、完成すると解放される感じ。
去年(18)取材した
連想したのはICU(国際基督教大学)に残る、何百年も前の古材を集めて作った書斎。(松浦武四郎の「一畳敷」)
これは木片42番 静岡久能寺の高欄柱を使った床の間釣柱。
深みこんだ空気や風景がよみがえってくるみたいでした。…これは木だからよけいに。
塗装済完成品とはなぜか違うなあ
プラモ工作という「組み立て」プロセスを必要とすることが、モノにモノ以上のナニモノかを生む…なんてことを考えました。
最近のは求める世界がちょっと違ってきてるのかもです
余談 なぜか古いイギリス兵はカタログカッコ悪くて作っていませんでした。
アフリカ戦線はあるのに…。今カタログの写真みると弾倉ポーチ、位置高くない？
ぬいぐるみみたいなのよねー。
3人しか入ってないし。
Ⓜ19

【初出：月刊アーマーモデリング　2019年7月号、No.237】

モケイと人生
えと文/モリナガ・ヨウ
吉祥寺さ〜ん
ゲッ もえつきている!
MGのタミヤ戦車プラモ50年連動企画!
オヤジンモデラーの悟り〜
・プラモは放置していても基本的に状況が変わらない。で、もう古いストック品はジャカジャカ組んで完成させちゃおう、という例。
シンチュウ線
なにがなさけないってプチディテールアップの跡が。
すぐできる。
タイヤに刻印がある!
箱絵を見るとタイヤの凹みがもっとフクザツ。考えない。
手元の最古層に属するクォードガントラクター。高田馬場のプラモ屋で「まだあったんだ!」と購入した。MADE IN JAPANですって。模型再開したころだろうか? 1緒にアクリルの黒とデザート系の茶を買って、そこだけ塗ってあった。
(そのまま20年?)
マーダー情景は土木のセ、モの所に。
あれ? 人形が入ってない…
『空想科学読本』の表紙に使ったんだっけ。
・222は、無塗装デカールに挑戦!
ヤスリ跡が白い…
SS 108422
黄ばんでいる。
☆生まれて初めてチーフテンも組んでみた。知らなんだ、すごい面白いプラモだ。
W.T.Mでチーフテンやるかも、という話で買ってあった。
C2、A4は軽くとめておきます。
C2
A2
A4
軽く?
無塗装デカールはなかなか精神的なハードルが高い。なので、「やってやったぜ」達成感があります。ストック消費にオススメです。
"こんもり。"
組立てにドラマがあり、物語でいうと伏線の回収がある。
おお、ここでギッチリはまる。
コマンダー台
他のプラモに見ない面白部品も。
セロファンテープ
D39 接着しません
プラモの組み立てそのものを楽しませようというキットだった。
バスケットやローダーハッチはまだ。
あー、この戦車はこういう形だったんだ、と感動しました。英国系のは平気でイビツで面白いことを発売後数十年後知る。
・そういえば'03にボービントンに行って実車見ているなあ…。
しかもでかい!!
…で、素組みデカールしようとしても格好いいデカールは色がいる…どうしよう。
・事情があって後半、中2の長男に組んでもらう。
これは喜ぶべきことなのだろう。
プラモも長く続けているといろいろこもって来ますね。
チーフテンは実車の上に乗っている。忘れていた。
ダークグリーン
ブラックグリーン
★ブラックグリーン
(フラットブラック XF1:1 +ブラックグリーン XF27:1)
このでっぱりはワイパーでした。
無限ループ。

【初出:月刊アーマーモデリング　2012年12月号、No.158】
★冒頭(右上のコマ)で燃え尽きている吉祥寺怪人とは、本書の編集担当の方。(モ)

「タミヤがエレファントを」
⇩実際に発売されるとやっぱり欲しくなり購入。
⇨夏の夢なのでは？
な、ツインスター・エレファント。
箱でかい
さて…
最初に目に入るのが、ポルシェサスの巨大肉抜き。
パオ〜ン!!
しかもこれ内側じゃなく外側向いてる
丸見えにならんのか？大丈夫か？
コーティングの都合かしら？
…と、自分の不安をヨソに組み立ては車体から。
⑦フロントアーマーの取りつけ
G7の
B30②
G27③
④
昔からリクエストされてましてねえ…
若い人にはわからない？
MMオヤジにとって特別な出来事ではあると思います。
自分より兄さんたちは、もっと感動があるんじゃないでしょうか。
しかも「発動」すると、ものすごい速度で勝手に形になっていく。
ズドドドど
一気に完成させるのよッ
ちょ、ちょっと
ストップ。落ちつけ自分▼
・上下くっつけると直せない部分があるよ。
側面はムキ出しだから真面目にゲート処理
隠れません▼
ここ とか
ここ とか。
リヤの装甲板はコーティングで消える。
？
フェンダーでここは見えない。
分割された部品に装甲板を整形しなきゃ。
・それから砲のつけ根も写真を見ると線はなさそう。
先に丸く消してから装着から。普通にプラっぽいです。
アハトゥンクパンツァーの写真から。
G12
・あ、天井についてるカマボコ板みたいなのはなんだ？小ハッチの軸のトコでした。
実車は小し面取りされてる
フタつくと異和感ない。
・フェンダーの垂直面かあ。やり出すとキリがないですね。
ざっくり!!
エッチング入ってたら作れないだろうし…。
砲の基部固定はガッチリさせたいから久々にトローリタイプ使ったし。
戦闘室のドガラを見ていて小学生のころ作ったハンティングタイガーを思い出す。
…夏だし。人生って何だろうな〜。
カットします。
☆資料を見るといろいろやりたくなります。
溶接線
取っ手とか
うふふ
…という訳で車体はだいたいできたから、気になる足まわりについて
ドラゴンの時は延々サスを組んでた気がするが…
さて、正面肉抜き穴は？
見えない。すごい〜。
おおっ▼
組み立て式の履帯も、よく考えられているなあと思いました。
こうやって割るんだ〜
コーティングいらず！
で、アバディーン仕上げ、とかしちゃうのかしら
前照灯跡自作。
パオ〜ン!!
…だからその考え方が世界を滅ぼしたのよッ
コーティングしてから考えなさい
いきなりエッチング取っ手だったら「見えない」とか言うくせにっ
エレファントおばさん
そうですね。
下からだと見えるよ
アハハハ▼下からは履帯が
あるし地面だから見えられんのじゃ▼
…この辺の塩梅の蓄積に感動しました。
近況
ワンフェスで売り子をしました。
あつかった…
ともみん

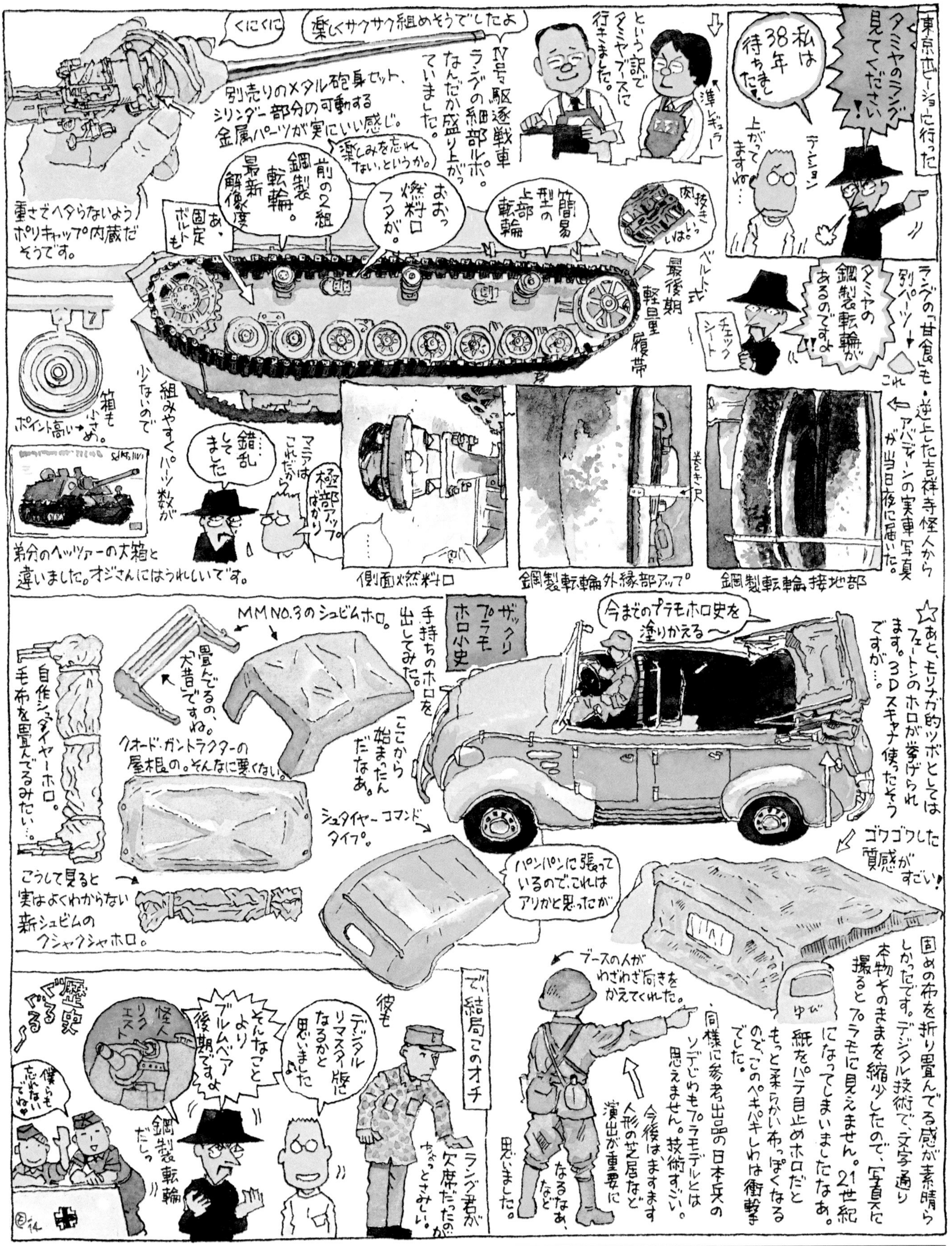
東京ホビーショーに行った
タミヤのラング見てください！
私は38年待ちました♥
テンション上がってますね…
準レギュラー
という訳でタミヤブースに行きました。
IV号駆逐戦車ラングの細部ルポ。なんだか盛り上がっていました。
楽しくサクサク組めそうでしたよ
楽しみを忘れない、というか。
くにくに
別売りのメタル砲身セット、シリンダー部分の可動する金属パーツが実にいい感じ。
重さでヘタらないようポリキャップ内蔵だそうです。
あ、固定ボルトも
前の2組鋼製転輪。最新解像度
おおっ燃料口フタが。
簡易型の上部転輪
肉抜きいっぱい。
ベルト式
最後期軽量履帯
ラングの「甘食」も別パーツ→
これ
タミヤの鋼製転輪があるのですよ!!
チェックシート
箱も小さめ。
ポイント高い→
組みやすくパーツ数が少ないので
弟分のヘッツァーの大箱と違いました。オジさんにはうれしいです。
……錯乱してました
マニアはこれだから
極部アップばかり
……
逆上した吉祥寺怪人からアバディーンの実車写真が当日夜に届いた。
側面燃料口
鋼製転輪外縁部アップ
鋼製転輪接地部
ザックリプラモホロ小史
手持ちのホロを出してみた。
MM NO.3のシュビムホロ。
畳んでるの、「大昔」ですね。
ここから始まったんだなあ。
自作シュタイヤーホロ。毛布を畳んでるみたい…。
クオード・ガントラクターの屋根の。そんなに悪くない。
今までのプラモホロ史を塗りかえる〜
☆あと、モリナガ的ツボとしてはフェートンのホロが挙げられます。3Dスキャナ使ったそうですが…。
シュタイヤー コマンドタイプ。
パンパンに張っているので、これはアリかと思ったが
ゴワゴワした質感がすごい！
こうして見ると実はよくわからない新シュビムのクシャクシャホロ。
固めの布を折り畳んでる感が素晴らしかったです。デジタル技術で、文字通り本物そのままを縮少したので、写真に撮るとプラモに見えません。21世紀になってしまいましたなあ。紙をパテ目止めホロだともっと柔らかい布っぽくなるので、このペキパキしわは衝撃でした。
ゆび
ブースの人がわざわざ向きをかえてくれた。
同様に参考出品の日本兵のソデじわもプラモデルとは思えません。技術すごい。
今後はますます人形の芝居など演出が重要になるなあ、などと思いました。
で、結局このオチ
彼も
デジタルリマスター版になるかと思いました♪
そんなことよりブルムベア後期ですよ
怪人リクエスト
歴史ぐるぐる〜
僕らも忘れないでね♥
鋼製転輪だしっ
ランゲ君が欠席だったのがちょっとさみしい。

【初出：月刊アーマーモデリング　2014年11月号、No.181】

35分の1スケールの迷宮物語 おかわり
えと文／モリナガ・ヨウ
なんですか突然？
いやー、先日のホビーショー行って模型脳が活性化して。
ずっと頭の中にAB型フェートンの幌がこびりついていて、結局買ってしまいました。
で、これはすごい。すぐ組み立て。
畳んだ幌。4パーツで構成。
つぎ目はうまいことシワの谷に隠れる。
この辺の質感はプラスチックとは思えません。
後ろの左右は有機的分割で、ツギ目消しがいるかしら？
展開幌は2パーツ。つぎ目は消える！
細かなシワが
本当の縮少世界が手元にある感が素晴らしいです。魔法です。
影がいいです。
様々な角度から光を当てて、質感を楽しんでいます。
あッ、プラの照りを除けるため、数年ぶりに色塗りました。
適当ツヤ消し色。自作。
手元のデザートイエローは乾いていた。
出番を待たれる。
XF-59
そこからなのか！
車体はどんな塩梅ですか
あまりの美麗表面仕上がりに
ビビって作ってません
ピカピカ
★それでも何か組みたい。
S.A.S. LAND ROVER PINK PANTHER
今回初めて「ピンクパンサー」買ってみました。オオゴシ☆さんや平田さんの記事でも以前取り上げられていましたね。
シャシーはバシバシ組める。
昔のプラモは楽しいなあ。
参 ミニアートの76.2ミリ砲。
転輪1つが8パーツだと？
…でもね、なんだか恐ろしく精密なんですよ。とても1976年のプラモとは思えません。
この辺がMMのピークなのですよ
ピンク
えッ戦後のクルマなんですか
…？知らなかったんですか？
スモークディスチャージャーバラではなくて組みやすい。
燃料タンクのフタのモールド
作りかけ
銘板とか。ボンネットの天面の細かなリベットとか。
LAND ROVER
フタ押えまで。
後部シートのみプラモっぽい質感で安心(？)
フェートンと比べないでよ
とめ具の革バンド自作したくなる。
サンドマットをはめると、何かなしとげた気分
☆どうも箱絵と比べて見ると、ディテールの一部は「わかってて省略している」感じです。
彫刻技術的に、本当は何でもできたんじゃないでしょうか。
「完成しなくなるからここはガマン」という強力な意志を感じました。
後部のフタの分割など感動的。
ほら、野戦救急車のひとセットの彼もドイツ兵に改造しちゃうし。
ムカシのクルマかと…。
一人で頑張るわけです。
当時のオトナは構成考えて送り出していたんですねぇ
なあ
ホルヒのドライバーはシフトチェンジしている？
プラモだから
ハンドルにぎれなかった
車体に乗せてながめてみると、…これは砂漠を疾走している演出なのではないでしょうか？
そして改めて気づいたんですけど、このドライバーのナゾ姿勢。
怒り肩
クルップボクサーの彼もこんな怒り肩ちぢこまりですね。
動かないプラモを、走らせる演出！
バババ
そんな視点で見ると、停車して相方がいるクルマものは、こんなオフロードな芝居をさせていません。
最近リニューアルされてこの2人組はいなくなってしまいましたが
うぬぬっ!?
不定期になりますが古MMのパッケージングにトータルについて考えてみようと思います。
そりゃそうとピンクは見づらい
さすが迷彩。
しかしグレー成形すると、ボットのアイデンティティが崩れますね…

【初出：月刊アーマーモデリング　2014年12月号、No.182】

先日コタツを買いまして
先日のホビーショーでラング見て40年前にワープです。
モスクワ帰り
35迷宮アラフィフ編、と。
コタツでプラモ作りたいですね昔みたいに！
…中高生時代は裸眼で作れたけど
◎と、いう訳で古MM作り倒し2回目。色も塗らない。ヤスリも最低限。大人には時間がない。
手元の25ポンド砲。クオードとのセット品だったから人形がないのが残念。あっという間に完成します。適度に精密ですし。
※まだ悟りが足りず、戦闘シーンか輸送状態か決めかねている。
勢いでアリマで以前買った九七式チハをば
TAMIYA MADE IN JAPAN ©1987 TAMIYA
おや？日本製時代のでした。また近いうちに…↑なぜ？
※箱絵を見ると長じて知ったディテールがみんな描いてあった。
↑フェンダーの「例の穴」とか。
ティーガーに張り合える！
ここの凹みも、ボルトのバッテン針金も。
☆じゃあこんな気分でもないと絶対に買わないアメリカ・歩兵セットはどうだ？
うお！火煙放射器のホースが同封されていなーい！
「太さ1mm位の市販のビニールパイプを長さ22mmに切り、差し込みます」そうだっけ？
さすがにMM的情景は浮かばない時代でした
こういう顔のころ。
ドロドロかチューブ式接着剤じゃないと、うまく貼れない背のう。
手榴弾がつまめない指に…。
☆1976年発売の日本陸軍歩兵セットも久々に見てみた。
↑しかも彼は二等兵だ。
MILITARY MINIATURES
1/35 SCALE JAPAN
箱絵が二枚目じゃない「普通の人」。
戦争が終って20年余り。実にリアルな印象である。
中の人形も箱絵に負けず、実にリアルな表情をしていた。
小銃の凹みもいい感じ
人形一体一体の人生を感じます。
子供のころは雑のうのモールドなんかに目がいきがち。
この口元が…こういう大人いたよね
どっこいしょ、と。
妙に射撃は上手かったりして。
この畳んだ脚も日本人っぽい。
低い鼻
連想するのは『鳩子の海』
今だと中村獅童を想像するフィギュア
尉官クラスは他より渋めの造形となっていた。
石橋蓮司系キャラクター。
じわり気を発している感じ
しかし子供はドイツ軍
カッコいい〜！
ドイツ物ばかり作っていたのだった。日本歩兵セットは苦戦を何十年も続けることになる。
このたび日本兵セット出るのだ
孤軍奮闘
※マンガにする都合上色を塗って描いてますが、実際はただ組み立ててあれこれ言ってます。
抜けてる
↑ここ とか
キャラは立っているが、ポーズの真似が難しくスタンダードにはなれず
モデルカステン
モーター
帽たれがワンパーツ
◎まだ身近に兵隊だった大人がザクザクいた時代のプラモデルという印象をうけた。
ドリフなんかでも兵隊コントなど普通にやっておったものなあ
この人形たち無事復員できたんでしょうか
南方戦線ですからねえ…
オッサンになった
古いプラモを今の目で見ると思いもよらなかった発見があるようです、と強引にまとめてみました。
2014年年末話題。フォードGPA水陸両用車の人形の接合部がV字でたまげる。
腰？の

【初出：月刊アーマーモデリング　2015年1月号、No.183】

GPAなど
えと文モリナガ
プラモの楽しみのひとつに「あのキットのあのパーツと組みあわせたら…」と脳内妄想するのがあります。今回はその辺のお話
☆新造のエンジンパーツ。どうせフタしたら見えない、と思いつつ組み立ててみました。
うわっ21世紀的細部
あ、作りかけです
⇩少し前に新しくなったGPAを入手して、少しずつ組み立てています。元は昔のプラモだから一瞬でできるかと思ったらそうでもない…。
細かいことは調べない方向で。
なんだろう。
本物はこんな
旧シュビムみたいなの想定してまして。
作ったこと無かったんで、本人的に新キットレビュー。
大胆な突き出しピン跡はカッターでゴリゴリ削る
布だからいいのだ。
気合いの入ったメーターパネル。こういう所が縮少模型のワクワクする部分ですね。
下の穴が大きくてもそんなに気にしない。
船的尾灯。箱絵を見るともうちょっと細かいみたい。
人形は有名なので、持ってた気になります。リニュアル版では欠席。
ちょっとさみしいかな…。
うむむ…新ジープとパーツ替える
透明パーツ。一体。
ディテールアップをするとキリが無いですね。
ボリューム的には話題のスチュアートより長いことを知る
組みたて①の「フロントデファレンシャルの取り付け」が、「斜めにさしこんで押し込み回す」ないきなり頭をつかうので驚く。
地味に油断できぬぞ
実車写真探したら無限に見つかりそうです
しかしエンジンを組み立てるとフタの出っぱりの理由がちゃんと分かって得した気分に
⇩さて…だいたい形が出来たところで、以前買って放置していたソ連コマンドカー人形つき(ミニアート)を出してきました。
ほら、レンドリース車輌ということでソ連兵乗せられる。
同じようなジープ系だからイスの高さも合いそうです。
乗せてみた。こんな状況がいちばん楽しいかも。
側面板がヒジに当たる。
高さほぼぴったり。
GPAがもう少し完成したらまた考えます。
バリ
こちらの車輌本体は細かすぎてどうしたものかと…。この乗り物への愛がためされている気分です。
将校。よく見るとすごい星の勲章です。
太ってていい感じ。
前は顔だけみてた。
◎余談。この手旗姉さん、1/35女子には珍しくもっちゃりタイプでした。
丸い背中や、がっしりした腰まわりが新鮮。
リアル!!
・あらためて良く見るとストッキング装着
『戦争は女の顔をしていない』では男性用下着しか支給されないエピソードもあるので、わりと待遇の良い人形です。
ぶぶぶ

Intermission［迷宮雑具箱］：1

本書はほぼ全編にわたり《作りかけ模型》から見えてくるミニチュア世界が展開する書物である。だが、ほんのわずかだが塗装～デカール貼り～汚し仕上げまで施された作品も存在する。❶は冒頭（5、6頁）を飾ったM3スチュアート。❷❸は24-25頁掲載のバレンタイン。砂漠での退色表現が見事だ。❹は22、26、33頁掲載のキット群。ブルムベアの成形色は発売前の灰色版。❺は新旧田宮俳優たち。
（以下［迷宮雑具箱］の解説は本書編集担当の吉祥寺怪人による）

タ々マルモニュース えと文/モリナガ・ヨウ ⇨35迷宮ノリでお届けします。

新発売のタミヤマークⅣを見に、
静岡ホビーショーに行ってきました
はい
35分の1迷宮コンビ。（略）
二人で歩くと目立つんだよなァ
いやー、この目で見るまで信じられませんね。菱形戦車のプラモが出るなんて。
ズゴゴゴゴ・・・・
10年近くWW1戦車連載しててよかったです。
しかしすごい人出。タミヤのブースまで遠いのなんの。乗り換え改札を逆走してるみたい。
タミヤブースに行くと…
あっ！
ぐいっ
見てください!!
見本を触らせてくれました。
マンガ的（古典）表現
㊆さん、写真写真！
うれしいな
カシャー
自分の手柄じゃないんだから……
今年は第1次大戦100周年ですから、いろいろ発売になるのはともかく、戦車模型の原点ともいえるマークⅣが、タミヤのブランドで出るとはものすごくワクワクしました。
・端っこまで行くと方向転換する展示
なんだか飼育係みたいな不思議なムード。
くる
いいスピード。
動く模型は面白いですね。
トコトコ
トコトコ
動画で保存しました。ローアングルで塹壕のドイツ兵気分にひたれます。
ギアいっぱい。
起動輪は金属でした。
手で持ってみるとけっこう大きい。存在感あるサイズ。
後部視察塔一体！
☆マンガでずっと描いていた身としては、斜め後ろ上方から見ることができて新鮮でした。写真では実車なかなか難しい。
ツイッターで世界に第1報を流した馬関の虎さんにも会えました。
いや、エマーを組みきれなかった訳なんですが。
動く。
スポンソンは着脱可能でした。
ポリキャップで
ここから電池入れかえする。
…おや？ランナーにはプラパーツが？
この起動輪パーツは？
なぜか入ってるんです。なぜか。
しばらく菱形祭りになるかも㋲
履帯もパチパチはまる連結式でいい感じ。
フチも薄い。
ギリギリまで心配だったベルト式じゃなかった
組みたてやすいベルト式
焼いてとめる。
↑チラシ。線画イラストが、すぐにでもタミヤニュースの裏表紙になれそうでいい感じ。
数年ぶりのホビーショーでしたが、楽しかったです
でも久々に会う人、みんな老けてますね。（自分も）
模型なおじいちゃん、おじさんの前でのアウェー戦（？）はちきんちゃん。
あっ！中1なのにすごく上手な少年と会えました。
すげー
ひとりで作ったの？
がんばってね
ありがとうございます
内藤あきも先生
後日、吉祥寺怪人から届いた写真。何やってんですか。
ツナマヨさん
㋲'14.

★《はちきんちゃん》は高知県のご当地アイドル『はちきんガールズ』。その後、石川彩楓さんひとりで活動中。（モ）

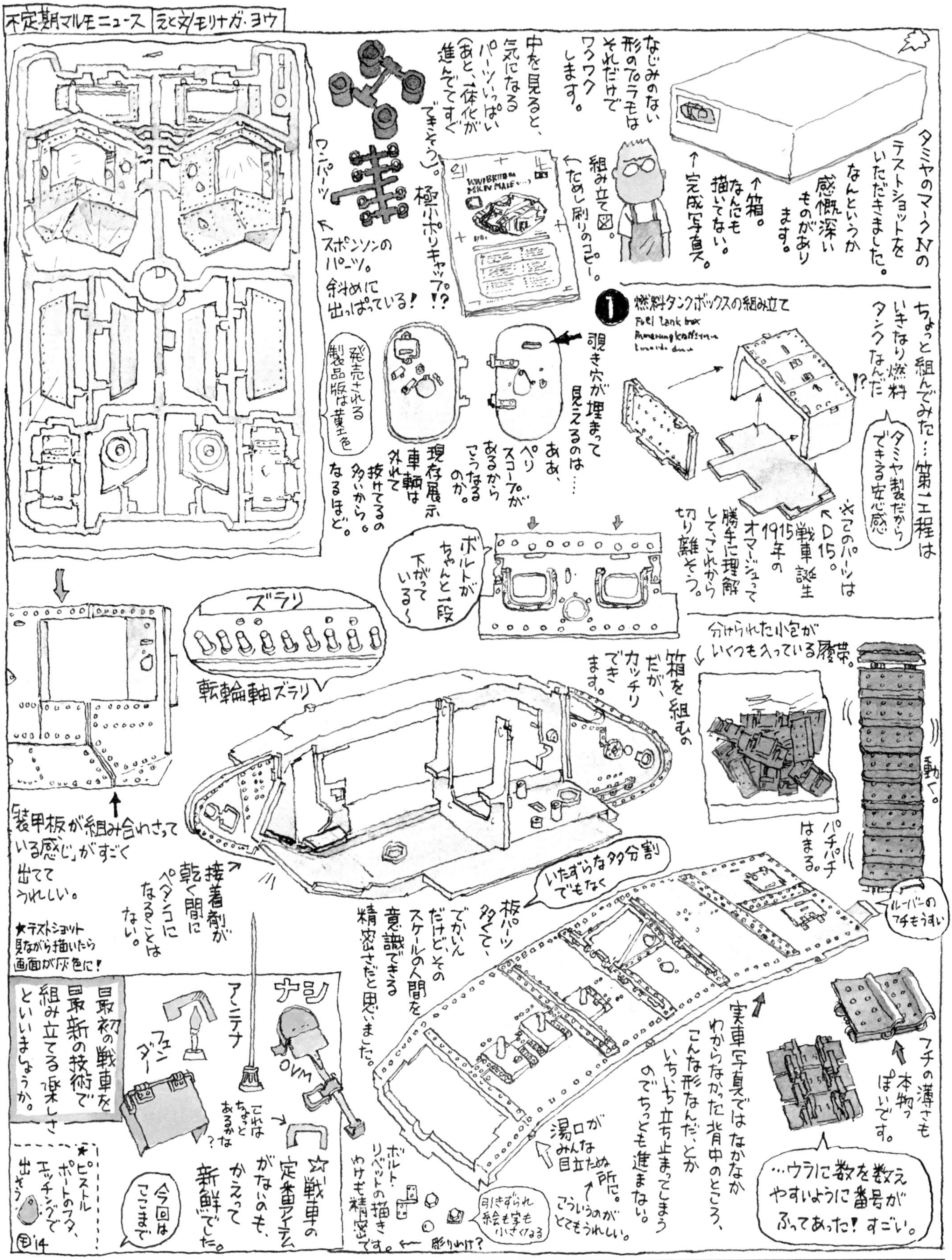
不定期マルモニュース　えと文/モリナガ・ヨウ
タミヤのマークⅣのテストショットをいただきました。なんというか感慨深いものがあります。
↑完成写真。
↑箱。なんにも描いてない。
なじみのない形のプラモはそれだけでワクワクします。
組み立て図。(ためし刷りのコピー。)
中を見ると、気になるパーツいっぱい(あと、一体化が進んでてすぐできそう。)
極小ポリキャップ⁉
ワンパーツ
スポンソンのパーツ。斜めに出っぱっている！
発売される製品版は黄土色
❶燃料タンクボックスの組み立て
ちょっと組んでみた…第一工程はいきなり燃料タンクなんだ⁉
タミヤ製だからできる安心感
※このパーツはD15。1915年の戦車誕生のオマージュって勝手に理解して、これから切り離そう。
覗き穴が埋まって見えるのは…ああ、ペリスコープがあるからこうなるのか。
現存展示車輌は外れて抜けてるの多いから。なるほど。
ボルトがちゃんと一段下がっている〜
ズラリ
転輪軸ズラリ
箱を組むのだが、カッチリできます。
分けられた小包がいくつも入っている履帯。
動く。
パチパチはまる。
ルーバーのフチもうすい
「装甲板が組み合わさっている感じ」がすごく出ててうれしい。
接着剤が乾く間にペタンコになることはない。
★テストショット見ながら描いたら画面が灰色に！
いたずらな多分割でもなく
板パーツ多くて、でかいんだけど、そのスケールの人間を意識できる精密さだと思いました。
実車写真ではなかなかわからなかった背中のところ、こんな形なんだ、とかいちいち立ち止まってしまうのでちっとも進まない。
フチの薄さも本物っぽいです。
…ウラに数を数えやすいように番号がふってあった！すごい。
湯口がみんな目立たぬ所に。
こういうのがとてもうれしい。
ボルト、リベットの描きわけも精密です。← 彫り分け?
引きずられ絵も字も小さくなる
最初の戦車を最新の技術で組み立てる楽しさといいましょうか。
アンテナ
フェンダー
ナシ
OVM
これはちょっとあるかな?
☆戦車の定番アイテムがないのも、かえって新鮮でした。
今回はここまで
★ピストルポートのフタ、エッチングで出そう。

【初出：月刊アーマーモデリング　2014年8月号、No.178】

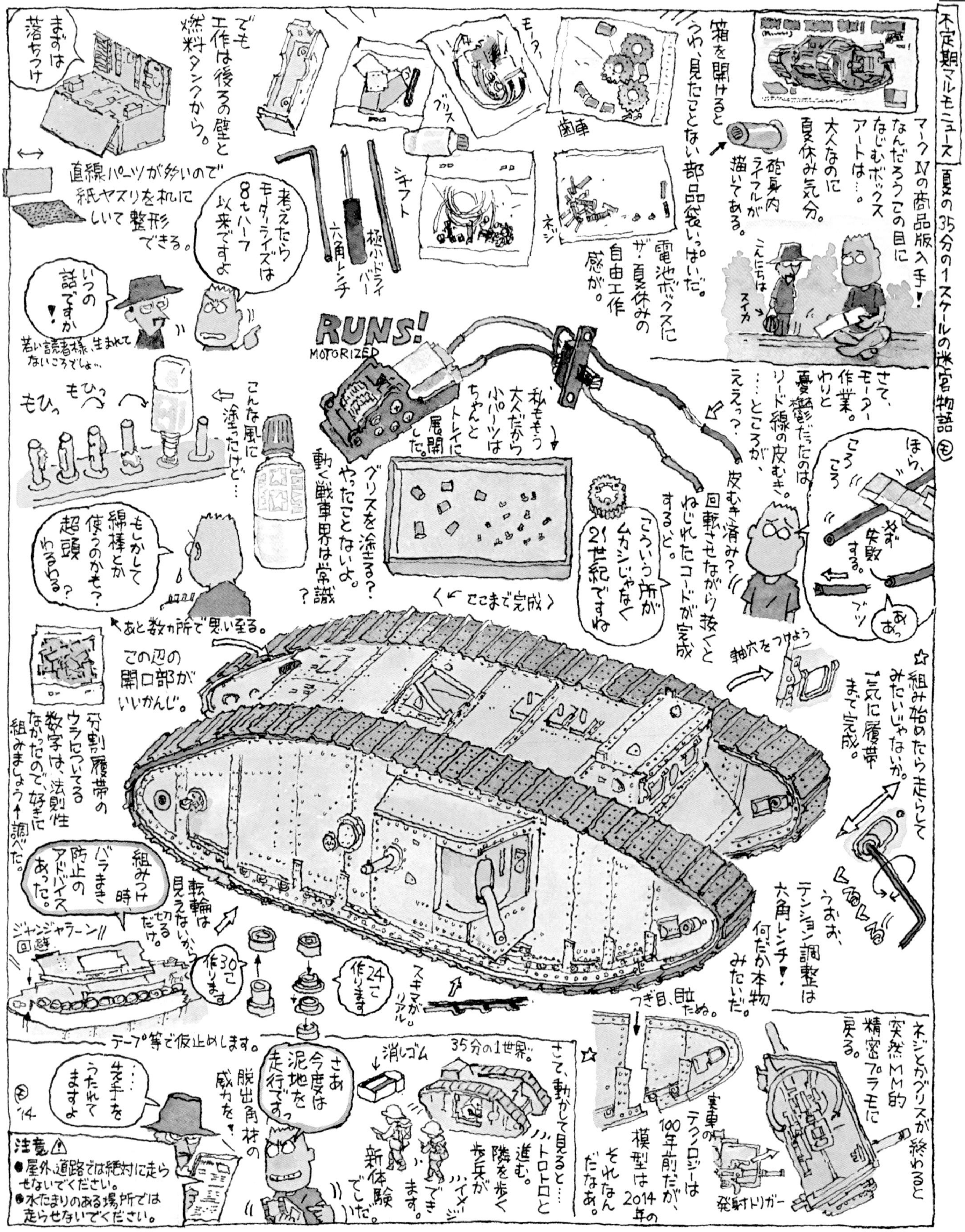
不定期マルモニュース
夏の35分の1スケールの迷宮物語 ㋲
マークⅣの商品版入手！
なんだろうこの目になじむボックスアートは…。
大人なのに夏休み気分。
こんにちは
スイカ
砲身内ライフルが描いてある。
箱を開けるとうわ、見たことない部品袋いっぱいだ。
電池ボックスにザ・夏休みの自由工作感が。
歯車
ネジ
モーター
グリス
シャフト
極小ドライバー
六角レンチ
でも工作は後ろの壁と燃料タンクから。
まずは落ちつけ
直線パーツが多いので紙ヤスリを机にしいて整形できる。
考えたらモーターライズは8もハーフ以来ですよ
いつの話ですか！
若い読者様、生まれてないころでしょ…
RUNS!
MOTORIZED
さて、モーター作業。
わりと憂鬱だったのはリード線の皮むき。
…ところが、ええっ？
ほら、
ころころ
まず失敗する。
ブツッ
あぁっ
皮むき済み？
回転させながら抜くとねじれたコードが完成すると。
こういう所がムカシじゃなく21世紀ですね
私ももう大人だから小パーツはちゃんとトレイに展開した。
グリスを塗る？やったことないよ。
動く戦車界は常識？
〈← ここまで完成〉
こんな風に塗ったけど…
もひっ もひっ
もしかして綿棒とか使うのかも？超頭わるわる？
↖あと数カ所で思い至る。
この辺の開口部がいいかんじ。
分割履帯のウラについてる数字は、法則性なかったので、好きに組みましょう↑調べた。
☆組み始めたら走らしてみたいじゃないか。一気に履帯まで完成。
軸穴をつけよう
うおお、テンション調整は六角レンチ！何だか本物みたいだ。
くるくるる
つぎ目、目立たぬ。
組みつけ時、バラまき防止のアドバイスあった。
転輪は見えないから切るだけ。
ジャンジャラーン//
回避
30こ作ります
24こ作ります
スキマがリアル。
テープ等で仮止めします。
ネジとかグリスが終わると突然MM的精密プラモに戻る。
発射トリガー
☆実車のテクノロジーは100年前だが、模型は2014年のそれなんだなあ。
35分の1世界。
さて、動かして見ると…バトロトロと進む。
隣を歩く歩兵がイメージできます。
新体験でした。
消しゴム
さあ今度は泥地を走行ですっ
脱出角材の威力を！
…先手をうたれてますよ
㋲ '14
注意⚠
●屋外、道路では絶対に走らせないでください。
●水たまりのある場所では走らせないでください。

【初出：月刊アーマーモデリング　2014年9月号、No.179】

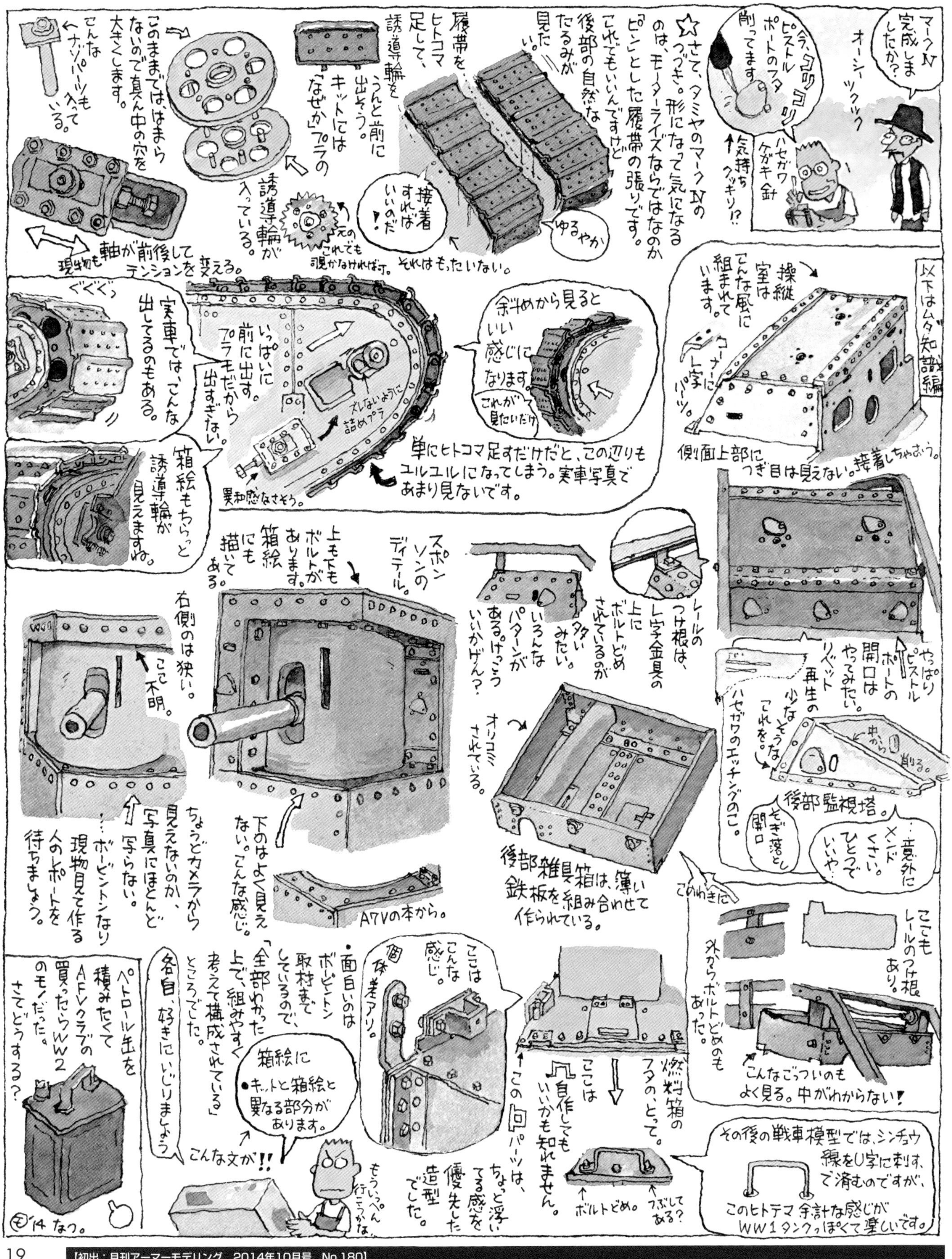
マークⅣ完成しましたか？
オーシーツクツク
今、ゴリゴリピストルポートのフタ削ってます
ハセガワケガキ針
↑気持ちクッキリ!?
☆さて、タミヤのマークⅣのつづき。形になって気になるのは、モーターライズならではなのか「ピン」とした履帯の張りです。
これでもいいんですけど後部の自然なたるみが見たい。
ゆるやか
接着すればいいのだ！
それはもったいない。
履帯をヒトコマ足して、誘導輪をうんと前に出そう。キットには「なぜか」プラの誘導輪が入っている。
元の
これでも覗かなければ可。
このままでは、はまらないので真ん中の穴を大きくします。
こんなヘナゾパーツも入っている。
現物も軸が前後してテンションを変える。
以下はムダ知識編
操縦室はこんな風に組まれています。
コーナーにL字パーツ。
側面上部につぎ目は見えない。接着しちゃおう。
斜めから見るといい感じになります。
これが見たいだけ
いっぱいに前に出す。プラもだから出すぎない。
ズレないように詰めプラ
異和感なさそう。
単にヒトコマ足すだけだと、この辺りもユルユルになってしまう。実車写真であまり見ないです。
ぐぐぐっ
実車では、こんな出してるのもある。
箱絵もちらっと誘導輪が見えますね。
やっぱりピストルポートの開口はやってみたい。
リベット再生の少なそうなこれを。
ハセガワのエッチングのこ。
中から削る。
後部監視塔。
そぎ落とし開口
…意外にメンドくさい。ひとつでいいや…
レールのつけ根は、L字金具の上にボルトどめされているのが多いみたい。
いろんなパターンがある。けっこういいかげん？
オリコミされている。
後部雑具箱は、薄い鉄板を組み合わせて作られている。
スポンソンのディテール。
上も下もボルトがあります。
箱絵にも描いてある。
右側のは狭い。
ここ不明。
ちょうどカメラから見えないのか、写真にほとんど写らない。
…ボービントンなり現物見て作る人のレポートを待ちましょう。
下のはよく見えない。こんな感じ。
A7Vの本から。
このわきに
ここもレールのつけ根あり。
外からボルトどめのもあった。
こんなごついのもよく見る。中がわからない！
ここはこんな感じ。
個体差アリ。
この回パーツは、ちょっと浮いてる感を優先した造型でした。
燃料箱のフタの、とって。
ここは自作してもいいかも知れません。
ボルトどめ。
つぶしてある？
その後の戦車模型では、シンチュウ線をU字に刺す、で済むのですが、
このヒトテマ余計な感じがWW1タンクっぽくて楽しいです。
•面白いのはボービントン取材までしているので、「全部わかった上で、組みやすく考えて構成されている」ところでした。
箱絵に
•キットと箱絵と異なる部分があります。
こんな文が!!
もういっぺん行こうかな。
各自、好きにいじりましょう
ペトロール缶を積みたくてAFVクラブの買ったらWW2のモノだった。さてどうする？
Ⓒ'14 なつ。

【初出：月刊アーマーモデリング　2014年10月号、No.180】

前頁にて資料不足で著者が描ききれなかったMk.IVのスポンソン部分。たまたま吉祥寺が2019年に渡英した折に、モリナガ氏のリクエストにより円筒形の主砲防盾上下のディテールを撮影した。

❶英国ボーヴィントンのザ・タンクミュージアムに展示中のMk.IV。

❷キットでは成形上の制約により、防盾前部水平面のモールドが省略されているが、実際は❸❹のようにリベットとボルトがある。

❺せっかく英国まで行ったのに、右側スポンソンをほとんど撮り忘れていてがっかり……（実車取材あるある話）。ほぼ同じなのでMk.Vの右側スポンソンでご容赦願いたい。（吉）

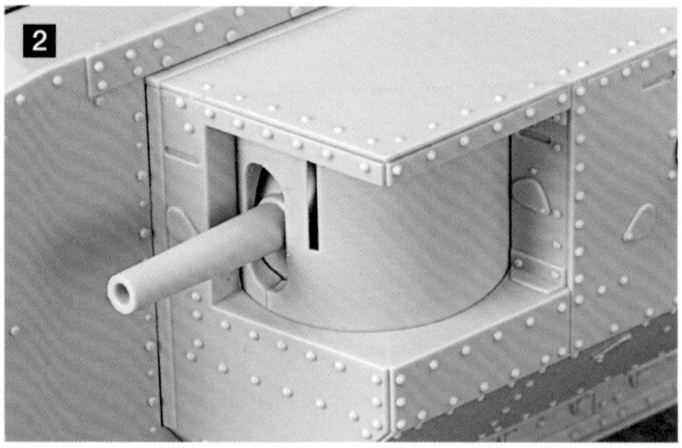

SOMUA S35
不定期マルモニュース㊥
ちょっと遅くなりましたが、タミヤ様からソミュアのプラモを贈ってもらいました。
今回はその辺の話を。
オヤジにとってソミュアといえば「フランスのプラモ」エレールのですね。
淡彩箱絵
Heller
なんか二度と手に入らないかも知れないってモンでした。
昔の輸入キットってそんな感じ。
㊥はグンゼ産業のを買えました。
おお、これが「フランスのプラモ」!
怪
だからなかなか組めない。
〃輸入プラモ〃
必要以上に緊張します。
別に鎖を買ったり。
でもパーツが金魚すくいのモナカみたいで。
…なんか組まずに時浜次郎サンにあげちゃった。
ちゃんと完成させてくれました。
……
☆で、タミヤのです。
あっという間に形になってびっくり。
ソミュア戦車がすぐ実体化します。
「1939年当時「おそらくヨーロッパ最優秀の戦車」(レン・デイトン)」
…何十年もかかったという話もありますが。
ウラから貼るバイザー切りっぱなしでいける。
回転する→
つぎめは目立たない。
砲身のスライド金型かいまどき。
↓砲塔ないとやっぱ玉蟲系
サイドスカートの丸みが戦車プラモじゃないみたい。
薄い。
履帯
うぬぬ…
小さくて自分の手に隠れて見えない
ものすごく苦労しましたが…接地面上にして寝かせるとパチパチ組めた。
100コぐらいして気づいた。
変なトコに力が入って肩がこる
センターガイドないの?
ドイツ戦車脳から頭の切り換えが必要でした。
・実車エピソード的には、Ⅲ号戦車は言うに及ばずⅢ号の3.7センチ砲も歯が立たない。
Ⅳ号の近距離のみ有効
(カール・ハインツ・フリーザー)
くるくる
いくら撃っても倒せない戦車の、監視塔がくるくる獲物を探すのは不気味だったんじゃなかろうか。
…しかし砲塔内はひとりだった!
「上下ボルト止めで被弾すると外れる」ってよく聞くが、どういう状況で発生したんでしょう。
3.7センチ砲は無力だし
わー
ゴー
フランス軍戦車の火砲と装甲はわが軍より優れていた
が、つねに私が提案していた戦闘方法とは正反対の戦法であった
←グデーリアン『電撃戦』からザックリ引用
T34と扱いが全然違う
ボービントンの実車写真から。
開口部狭そう
すべり止め
直線じゃない
なんだかネチネチ細部写真撮った。
昔イギリスボービントンでソミュアの写真はいっぱい撮っていた。
ぬめっとした独特の形にひかれたようです。
にじみ出てくる味があります。
キューポラのツノ
実車の話が知りたいですね…。
大活躍する直前に戦争終わっちゃった?みたいな
末期パンターみたいですね。
XF-21 スカイ
XF-23 ライトブルー
↑色も買いたくなる。
㊥'15

【初出：月刊アーマーモデリング　2015年7月号、No.189】

不定期マルモニュース
プラモは楽しいな'16年編・モリナガ
★このところWW1タンクばかり組み立てていたので、ただでさえ閉塞模型ジャンルなのに息苦しさが尋常ではなくなりまして。最新のタミヤSU76Mを作ってみました。
砲身がくるりとヤスリがけするだけでうれしい。
おお！車外装備品が目になじむ。久々の四角いソ連スコップ。
ピン跡消す。
色塗りするかも知れないから、こういったパーツや側面の装甲板はまだくっつけていない。
牽引ワイヤーは太い糸が入っていました。接着剤で固くする「作法」みたいなのは、組み立て図には書いていません(が、行う。十年一日のごとし)。
ペンチでフェンダーひねると白くなるのが、ダークグリーン系プラモの楽しいところ
これは自動的に薄くしちゃう。
ノコギリや金アミはそのまま。うん、いいよこれで。
カッターで凹ましたり。
…昔だったら金アミをくり抜いてディテールアップしなきゃ、みたいなことを思ったのでしょうが、そういう方向性への興味は減った気がします。
前号にもちょっと触れたコマンダーが人形つけるとすごくいいです。
世界ができますね。
斜めに身体をひねって、背中で演技していました。
戦車帽すら接着してない作りかけぶり。
びっくりしたのはその3Dパズルぶり。
今どきはこんななのか!!
手が大きい
平たい
足も大きい。
オールドタイプのプラモ兵士イメージを書きかえないといけません
これは砲手。大砲にピッタリ合います。
手が小さい
足も小さい。
プラモ兵士って独特のバランスだったんですねえ。
昔の75ミリ砲の砲手でもなしえなかった、ハンドルをキッチリ持ってる。
しかも後から乗せられる
…ナスホルンも作ってみようかな……
(今ごろ?!)
ずいぶんキッチリ演出されています
オープントップは面白いなー
あとは3Dスキャン技術でリアル天幕も欲しいところです。
☆さて、オープントップ2台目、M10も入手してます。
NO.350だし
M10といえばこの触角です。
あっ、こういうバトルダメージをフェンダー全とっかえ、とかいう手間が発生するので考えない。
天幕の止め具ということはわかるんですが、で、どうする？とわからず。気になることがあると、何か手が進みませんね？
で、先日アキリーズのレストア車写真発見。
な、なるほどー！
このサーカステントみたいな出っぱりはM2重機関銃だと想像しています。
と、いう訳でアスカのペリスコープガードも買いました。
※シャーマン道人に聞いたら、M10の天幕道はあまり研究が進んでないそうです(最近の本に出たらしい)。
そうなんだ。
周囲の監視が重要だから、あんまり張らないよ
…何十年もプラモ戦車とたわむれていて
結局「いろんな形の戦車があって面白いなー」という結論？
それ、プラモ始めた子供時代と同じじゃないか？
ぐるっとひとまわり
？？

【初出：月刊アーマーモデリング 2017年1月号、No.207】

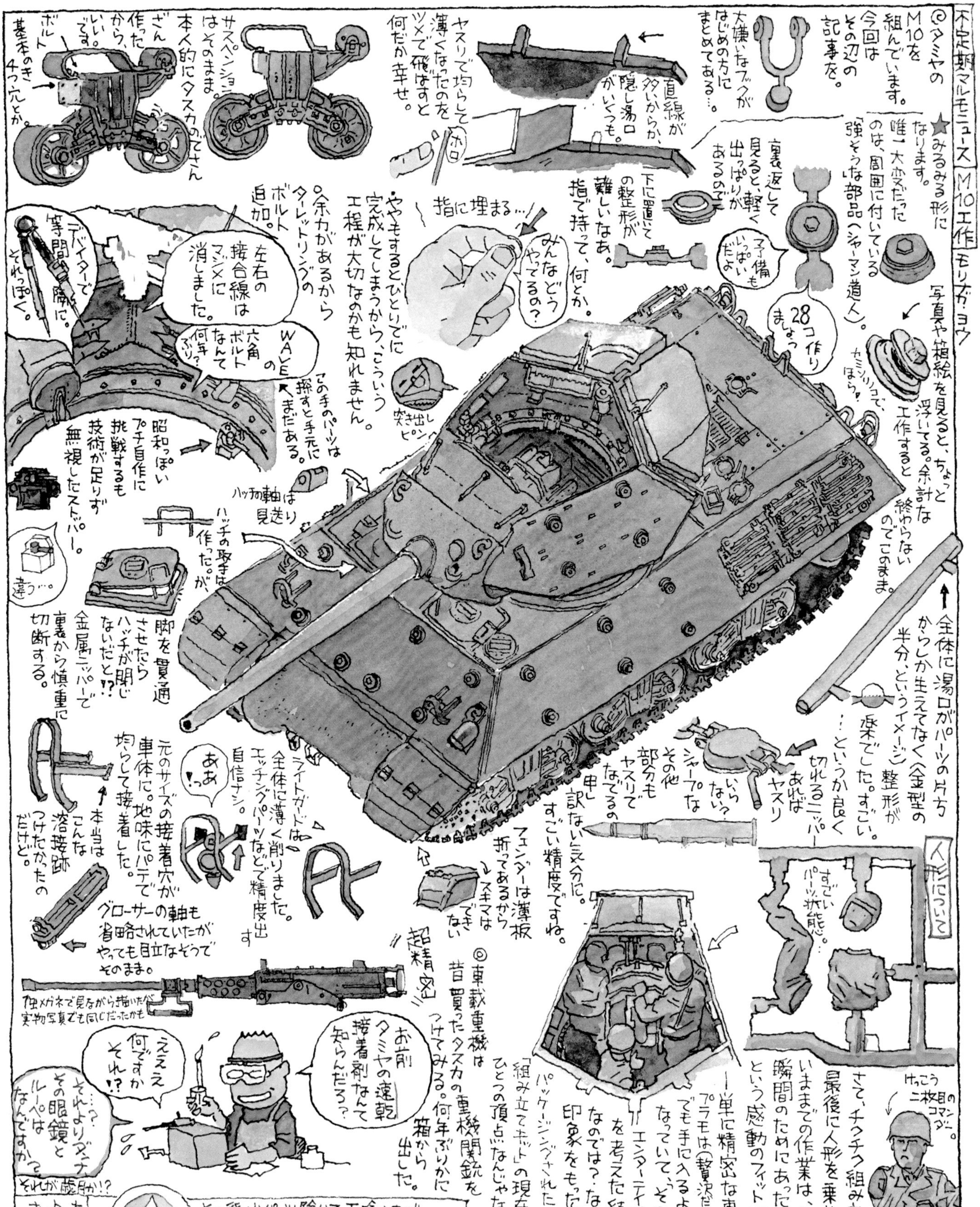
不定期マルモニュース M10工作 モリナガ・ヨウ
◎タミヤのM10を組んでいます。今回はその辺の記事を。
大嫌いなブツがはじめの方にまとめてある…。
直線が多いからか、隠し湯口がいくつも。
ヤスリで均らして薄くなったのをツメで飛ばすと何だか幸せ。
ホロ
サスペンションはそのまま。本人的にタスカのでさんざん作ったから、いいです。
ボルト
基本のキ 4つ穴とか。
★みるみる形になります。唯一大変だったのは、周囲に付いている「強そうな部品（シャーマン道人）」。
裏返して見ると、軽く出っぱりがあるので
下に置いての整形が難しいなあ。指で持って、何とか。
予備もいっぱいだよ
28コ作りましょっ
写真や箱絵を見ると、ちょっと浮いてる。余計な工作すると終わらないのでこのまま。
カミソリノコで、ほら。
・ややもするとひとりでに完成してしまうから、こういう工程が大切なのかも知れません。
指に埋まる…
みんなどうやってるの？
◎余力があるからターレットリングのボルト追加。
デバイダーで等間隔に。それっぽく。
左右の接合線はマジメに消しました。
WAVEの六角ボルトなんて何年ぶり？
この手のパーツは探すと手元にまだある。
突き出しピン
昭和っぽいプチ自作に挑戦するも技術が足りず無視したストッパー。
ハッチの軸は見送り
ハッチの取手は作った。が、
違う…。
脚を貫通させたらハッチが閉じないだと!?
裏から慎重に金属ニッパーで切断する。
全体に湯口がパーツの片方からしか生えてなく（金型の半分、というイメージ）整形が楽でした。すごい。
…というか良く切れるニッパーあればヤスリいらない？
シャープなその他部分もヤスリでなでるの申し訳ない気分に。すごい精度ですね。
フェンダーは薄板折ってあるからスキマはできない
ライトガードは全体に薄く削りました。エッチングパーツなどで精度出す自信ナシ。
ああっ!
元のサイズの接着穴が車体に。地味にパテで均らして接着した。
本当はこんな溶接跡つけたかっただけど。
グローサーの軸も省略されていたがやっても目立たなそうでそのまま。
超精密
虫メガネで見ながら描いたが実物写真でも同じだったかも
◎車載重機は昔買ったタスカの重機関銃をつけてみる。何年ぶりかに箱から出した。
お前タミヤの速乾接着剤なんて知らんだろ？
えええ何ですかそれ!?
…？それよりダンナその眼鏡とルーペはなんですか？
それが歳月か!?
人形について
すごいパーツ状態。
けっこう二枚目のコマンダー。
さて、チクチク組み立てて最後に人形を乗せる。いままでの作業は、この瞬間のためにあったのではという感動のフィットぶり。
―単に精密な車輌プラモは（贅沢だけど）どこでも手に入るようになっていて、「その先」のエンターテイメントを考えた結果なのでは？な印象をもった。
パッケージングされた「組み立てキット」の現在のひとつの頂点なんじゃなかろうか。
その後小パーツ除いて下塗りまでしました。毛布とか作れるかなあ…。
←デカールにはじめから穴が!!
本年もよろしくおねがいします

【初出：月刊アーマーモデリング 2017年2月号、No.208】

不定期マルモ
作りかけバレンタイン
モリナガ・ヨウ
今回はバレンタイン。
@縁あってタミヤ・バレンタインのテストショットをいただきました。楽しく組み立てています（なのでマンガはグレーです）
テストショット
ハルの箱組みが済むや否や、背中の虫っぽいパーツを接着指示。
❸
そう。バレンタインで一番気になる部品はこの虫々ルーバーだっ！
イラストも虫々感を出すため、フェンダー外して描いています
★なじみのない形を組むのは脳や手先が活性化しますね。
「なんじゃこりゃ」なスローモーション式懸架装置
裏側！アンコが詰まってない。
グランドパワー2012.4月号を参考にしました。
…なぜか持ってましてラッキーです。
形も新鮮ですが、転輪のツメが2つあったり今までの「適当に回してはめる」とちょっと違うリズムになります。
パチン
「あっ、起動輪のごちゃごちゃが外側も新鮮。」
ポリキャップ（大）
図をよく見なさい、なんですが…
捨てそうなポンド砲。
早くくっつけとこう
大戦後期のインフレ主砲に見慣れると切ったランナーと間違えて
裏側もモールドいっぱいのドライバーハッチ。
でも取手のとりつけ穴に注意しよう。
・ナゾパーツも多い。フェンダー後部に着けるこのツノはなんでしょう？ルーバーの支柱らしいです。
ここの所にある四角いモールドは銘板だそうです。なぜこんな場所に。
こんな感じ
う…どうやって作れば良かったっけ？
実車ですと、車幅灯からヘッドライトまで電気のコードがうねっています。
ふた昔くらい前のドイツ戦車ジャンルは、これでもかと細部の掘り起こしが進んでいまして、大日本絵画の本にみんな「この辺のことは描いてありました。
今回、自分でチクチク調べて答えを出すのも楽しいです。
お腹いっぱい
地味なワナとしては、ペリスコープガードの正面に大胆な突き出しピンが。後で気づくと面倒ですね。
ムッ
ナイフでチリッと削れるだろっ
・箱絵を見るとフェンダー上のこの辺の、けっこうフチが薄い。
それっぽく削ってみました。
かんじんなトコが見えない
プラ板で取りつけベロを追加。こっちのはよくわからない。
履帯がグダグダになっても隠せる砂漠タイプ。
☆だいたい形になりました。こんなスカスカした足まわりだと、昔のポリキャタピラでは実感を損ねたかも知れません。今だから発売できたのかしら？
実車写真のスカート、曲がってて影がけっこうウネウネしてる。
今回はそこそこうまくできて良かった！
サイドスカートの端っこが薄く見えるよう作られているのもうれしい。
これからさてどこを凹ませるか、とか楽しい夢想に入っていく訳ですね
モ '17

【初出：月刊アーマーモデリング 2017年6月号、No.212】
★共同通信社配信『暮らしの知恵』取材に同行したのです。静岡ホビースクエアの回でした。（モ）

今回はバレンタイン戦車の続きです。色塗りにチャレンジ！
↑ほら、最近塗装技術が進歩してハゲ仕上げは描くんじゃなくて本当に削っていますね。何とリアルなんでしょう。
ただヘアスプレーとかその他新塗料はよくわかんないので下塗り↓水性塗料でやってみました。
ベア子
☆はて？英軍アフリカ戦車は出荷から砂漠迷彩なんでしょうか。
ドイツものは「ヨーロッパ向けが急にアフリカ」とかいう塗装遊びができました。
…よくわからないのでレッドブラウンを使います。
タミヤカラーのと色合い違うのね
レッドブラウン
ブー
でアルコールでうんと薄めたダークイエロー吹いたら全くはがれず、2回茶色を吹いています。
↑テストショットだから灰色。
だいたい凸部が茶色になればいいかなあ？
で、ペタペタ筆で黄土色を塗りました。
「エナメル塗料のダークイエローでペタペタ塗ったらムラだらけでショック」…みたいなモノになる。
香色
久々のつや消しプラモ
足まわりはフラットアースブー。…さすがにゴム部くらいは黒くしておかないといけないみたい
↑てきとうな黄土色エノグ。たぶん日に焼けてガサガサに退色するから何色でもいいんじゃないかしら、と。
それで歯ブラシだの竹ぐしで落としていきました。
模型誌みたいにかっこよくハゲませんでした。
パステルその他汚し
香色
茶
ダークイエロー
プラ
茶
こんな層に
やんなくていいじゃん
あ、ライトのコードは自分には難しく、それっぽくで妥協しました。
伸ばしランナーだと丁度いい太さのコードが作れず、エバーグリーンの細丸棒を買いました。プラ製だから接着剤でガッチリくっつきます。
竹ぐしはいきなりだとプラ面まで見えるから、先をつぶして使います。
エッチングなど使っていないから、歯ブラシ使える！塗面をこすったから何とも言えない半ツヤは出て、これはこれでいいかなあ、と思いました。
…しかし
なんとも凸部の茶色い物になりました。
汚し塗装しかしてませんものね！
それそれ？
大人だからバックミラーはあとで着けます。
折りそう。
↑レッドブラウンやMrウェザリングカラーなどで異様にリアルになったシャベル。
ペリスコープ「シェード」って色を使ってみました。
これは今までの青クリア？とかで苦労してたのがウソみたいです。
パステル汚しの履帯の凸部に、鉛筆でツヤを。
かなりいい感じ！
ただ奥ができないうぬぬ。
プラスチック連結履帯はこれができる
芯ホルダーというそうです。
パステル。カッターで削って絵皿でまぜて乗せていく。
←やりすぎると古道具みたいになる。
「砂漠汚れ」ということで、後半荒っぽい作業になるのはなあぜ？
そういえば泥やホコリものはやってましたが、砂漠は大へんに久しぶりでした。
…身近で砂漠汚れ見ないんですもの。
スポンジヤスリ
路肩で何ケ月も死んでるみたいな。
'17

【初出：月刊アーマーモデリング　2017年8月号、No.214】

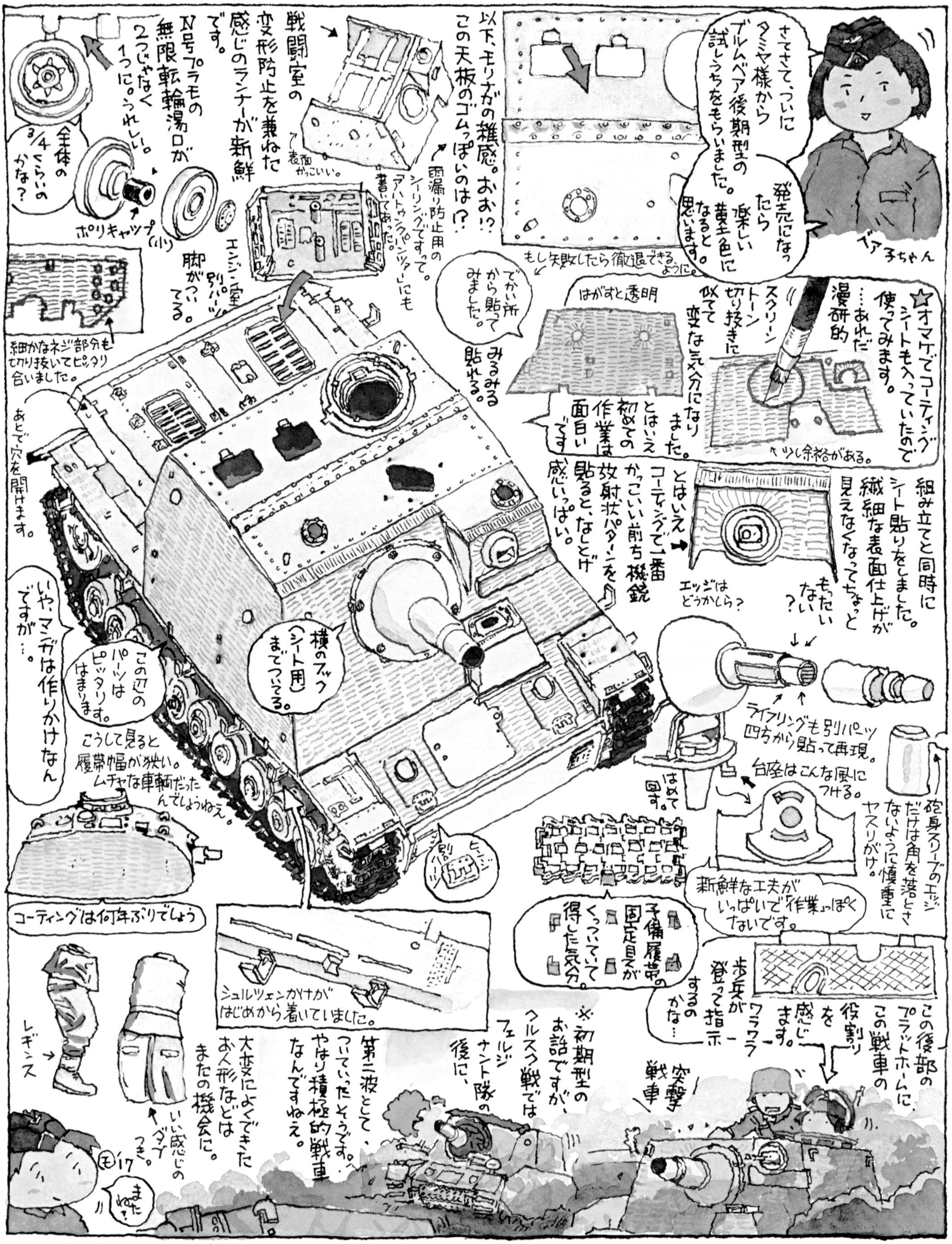
さてさて、ついにタミヤ様からブルムベア後期型の試しうちをもらいました。
発売になったら楽しい菫色になると思います。
ベア子ちゃん
もし失敗したら徹退できるように。
以下、モリナガの雑感。おお!? この天板のゴムっぽいのは!?
雨漏り防止用のシーリングですって。「アハトゥンク・パンツァー」にも書いてあった。
表面かっこいい。
戦闘室の変形防止を兼ねたランナーが新鮮です。
Ⅳ号プラモの無限転輪湯口が2つじゃなく1つに。うれしい。
全体の3/4くらいのかな?
ポリキャップ(小)
エンジン室別パーツ。脚がついてる。
細かなネジ部分も切り抜いてピッタリ合いました。
☆オマケでコーティングシートも入っていたので使ってみます。
…あれだ漫研的
スクリーントーン切り抜きに似てて変な気分になりました。
はがすと透明
とはいえ初めての作業は面白いです
↑少し余裕がある。
でかい所から貼ってみました。
みるみる貼れる。
あとで穴を開けます。
組み立てと同時にシート貼りをしました。繊細な表面仕上げが見えなくなってちょっともったいない?
とはいえ→コーティングで一番かっこいい前方機銃放射状パターンを貼ると、なしとげ感いっぱい。
エッジはどうかしら?
ライフリングも別パーツ四方から貼って再現。
台座はこんな風につける。
はめて回す。
砲身スリーブのエッジだけは角を落とさないように慎重にヤスリがけ。
新鮮な工夫がいっぱいで「作業」っぽくないです。
予備履帯の固定具がくっついていて得した気分。
この後部のプラットホームにこの戦車の役割を感じます。
歩兵が登って指示するのかな…
ワラワラ
横のフック(シート用)までついてる。
いや、マンガは作りかけなんですが…。
この辺のパーツはピッタリはまります。
こうして見ると履帯幅が狭い。ムチャな車輌だったんでしょうねえ。
ヒンジ別パーツ
コーティングは何年ぶりでしょう
シュルツェンかけがはじめから着いていました。
レギンス
いい感じのタブつき。
大変によくできたお人形などはまたの機会に。
※初期型のお話ですが、クルスク戦ではフェルジナント隊の後に、第二波として、ついていったそうです。やはり積極的戦車なんですねえ。
突撃戦車
またね
モ17

ホビーショーとか人形とか。
えと文/モリナガ
先日数年ぶりに静岡ホビーショーに行きました。
スカイクリーナーの実物。撮った写真で見ると「モデルさんのフィギュアよくできてるなあ♥」な間違った感想。
白バック
35倍の台座をこしらえてきましたよ！
カマドさん
MMシリーズも50年になるのですね。自分もプラモ記事を描くようになって20年かあ、と感慨深いです。
よんぱち先生
スケビ班
はッ！手近な知り合いばかり描いちゃった。
↑小池さん
★さて、最近タミヤのゴリアテセットを組みまして、たいへん感動しました。今回はその辺の話を。3Dスキャンでリアル化だそうですが、何だかワクワク感が違うぞ。
このポーズ37ミリ砲以来だ！
そで口はちょっと削りました。
ハンパに色を塗るところまで。
例えばパーティングライン。何十年も親しんだお決まりの作業と全く異なる新鮮な感じ。
ムカシ。
背中。細かい服のモールドが浮き上がってくる。
シワの凹みなんか言わずもがなですね。
片側は見えない所中心にもう片側はシワの尾根筋に沿ったところ？
よくわからない
パテ
中に肉体を感じるヒップ。
見なれたプラモブーツと違うブーツ。（描きなれてない）
指の開き方も素敵。
「新しいプラモを組み立てている」気分がします。早く完成させてみたい、という♥
コントローラー操作係。
くわっ
この人の背中も体温を感じますねえ。押したら柔らかそうだ。
…目をサクサク塗るのは今の自分には大変かなあ。最近休みがちなので。
腰内部（？）に位置固
決め凸凹があったり珍しい♥
一番？盛り上がるのが雑のうの凹彫刻。水筒をピッタリはめられる。おおお。楽しい。
のホビーショーの目的のひとつが、この辺の新フィギュア開発の担当様にお話を聞くことでした。
開発担当F氏
ヘッドは別なので肌色エアブラシして、あとではめれば簡単です
…ほんとに？帰ってすぐやってみた。すごいなあ、肌色地に軽く赤を入れるだけでもう人間っぽい。
データそのままではなく、細かな塩梅なんかみんなしてるそうだぞ。
↑マンガなのでわけがわからないけど。超級指南でも絶賛の彼。
ライティングにもよるけど、服の塗装は単色塗りっぱなしという訳にはいかないかな？
肌と服の表面仕上げはちょっと変えてあるそうです。
わーい
アーマー'03年9月のI号戦車人形スクラッチ
モさんが作ったI号の戦車兵を高校生時代に見て、その服の質感を意識しました〜
タミヤの人形につながってたいへんにうれしかったです。
自分で宣伝するの大事や
パアア
海洋堂センム
…新ヴェスペまで話が行きませんでした。
つづきは次回の予定。
ええ！
こんな角度でどーやって？！
コマンダーの手持ち板もはじめから一体。
テストショット
つづく

【初出：月刊アーマーモデリング　2018年7月号、No.225】
★イベントのときは説明ナシで業界関係者をすぐ描いちゃいます。（モ）

模型ネゴト
えと文／モリナガ・ヨウ
承前・ヴェスペの人形たち。……おおもしろい！
テストショットもらって灰色プラなんですが、マンガは簡単に色つけしています
この辺の立ったり座ったりジワが何とも生命を感じます。
指揮官
エリが別パーツも新鮮です。
板と手がワンパーツ！
それから何と射表がデカールでセットされています。
指の部分は削れている。
砲手
面倒くさそうな……なんか人だなあ
お腹のあたりのシワも本物っぽいです。
装てん手2
3Dスキャンがベースらしいから、あまり適当なことは言えませんが。
下半身のヌボーっとした感じも新鮮でした。
わずかに背の低い彼！
XF22
伝統と格式のタミヤヘッドホンは健在。
……耳を削るんですね？
肩・腕の接着面もまっ平(たいら)じゃない！3次元的角度の合わせ。
細かい所ですがくつのカカトがあるように見える表現が楽しい。
ほんの少しの差ですが、持った感じが違う
装てん手1
ラマーとゲンコツが一体でちゃんと握っている！
腕の方はこんな受けになっていました。
前から見るとタテの接着面になります。
何十年もつきあった35人形の文法みたいなモノが
つくづく変わったんですね
「新しいプラモ」でたいへんに楽しいです
★持ってる板について。
指揮官セット
兵隊人形は時々板を持ってますね。そういえばどんなモノなんでしょう。
有名なヴェスペ11号車は後部に何やら紙のついた板がつり下げられていました。
アルバンの軍装写真ではこんな抑えのついた板を持ってました。
この辺見えず。
ブックを再現するのは勇気がいりますね。修理のチェックシートかもっ？
これはマーダーⅢの車内写真から。無線器の横に、コードでぐるぐる巻きのヘッドホンがありました。
車内通話装置へ。
いきなりヘッドホンは生えないようです。
1993年のシュトルム＆ドランクNo6.
アハトゥンク・パンツァー⑦を参考にしました（古）。
ノルマンディー砲台での板持ち兵。
『フィンランドのドイツ戦車隊』でのロケット砲部隊↓
「射撃チャート」と書いてありました。板は2ツ折り。
Ⅱ号15cm砲の内側にも表がついていますね。
イメージ
……さて、人形を組み立てたらすぐヴェスペに乗せちゃう。
「あらかた出来たのは家にある」という反則。
すると机上に広大なロシアの平原が！昔88ミリ砲こしらえた時と同じ感動がありました。人形の力は偉大です。
閉塞趣味な戦車プラモなのに、ナゾの開放感があります。
SU-76MやM10とはまた違った印象です。対戦車っぽくないからかなっ？
履帯はモデルカステン。最新版ヴェスペの部分連結もピタリと安心して組めるそうです（営業のゴシマさん談）。
何か気になることが？
……と、まあ手持ちの本をひっくり返して板ばかり探す、というのも戦車プラモの楽しみのひとつでしょう
板の塗装指示はXF57…「バフ」かあ!!
のり出す砲手。
Ⓜ'18

モケイネゴト えと文 モリナガ・ヨウ
↓新しいドイツ歩兵セット(大戦中期)〈タミヤ〉のインプレッション。これはすごい。
人形が前後分割されておる!
ズレないよう凹凸がキッチリつけてある
モナカ状中抜きに驚く。1/35サイズでは馬とか?
動物セットのラバ(だっけ?)
シェパード
仔ブタ
大きなフィギュアならともかく、このサイズの人形でこれはすごいことでは。
ドラゴン人形のくり抜きも新鮮でした。
これはクルップ・プロッツ37ミリ砲つきの着座兵のくり抜き。
ガボ
まだ色も塗ってないけどイメージで。
の
しかもリアル、かっこいい服のシワ。
プラモの兵隊人形の分割も新時代に入ったという感じです。
なんかオレ、古文の文法みたいな気分だよ
ず
ざら ず
ざり ず
ず ぬ
ざる ぬ
ざれ ね
ざれ
文語活用表
正確縮少は手のサイズ小さめに感じます
腕のつけ根も四角く凹凸嵌めあわせ。
ピタッ
デジタル技術の最前線というのかしら?「プラモやってない人はこの体験ができない」という大ゲサな気分になりました。
細かなことだが、ゲートもうまいこと避けてる。
整形しなくてもとりあえず合う
装備品がつく所も凹んでいてピタッとフィット。
雑のうも水筒・飯ごう形に凹む
MG弾倉は2ツいっぺんに持てるのだ ミニ知識もついてくるぞ。
たがいちがい
(前線偵察)
装備品の形に凹んでいるのは少し前からあるけど、更に進化というか。
カッコいい服のシワ
このキットはかっこいい服のシワのオンパレードでうれしい。
C-4
e-1
いい感じのシワが再現されているキットってそれだけで欲しくなりませんか?
タミヤのストーブの横で片ヒザつく兵のコートじわとか。
ドラゴンのオートバイコートかな?
ミニアートMPの見事なズボン後面
ちゃんとパーティングライン消していたよ…
アクセサリーもいい感じ。このスコップ、なんだか久しぶりでうれしい!
MP40のストックとか。こんな細かな再現も!
b-2
と、言いつつ手に持ったライフルによるへこみにうっとりしてしまうのだった。
大戦モノミリタリーはどうしてもそうなるの
……オッサンの服ばかりだよ?
オヤジ服は結果論なのったぶん
おお、かっこいいの手に入れた
物によってはこの段階でもう満足しちゃって放置。
ドラゴン野戦憲兵シェパードつきのかしら?
平野氏レジン兵とか。
以前組み立てた、ドラゴンの将軍が砲隊鏡の横に立ってるキットの将校ズボンしわとか。

㋲19.

【初出：月刊アーマーモデリング　2020年1月号、No.243】

MM迷宮探訪記

タミヤ・ミリタリーミニチュアシリーズ、開発のいまを探る

1998年、タミヤMM三十周年にまつわる記事で模型誌デビューを飾ったモリナガさん。以後二十年以上、新製品との対話を続けてきたといってもよいでしょう。その間に製品に込められた設計者たちの創意工夫、技術面の進歩などに迫ろうと、久々にタミヤ本社を訪問しました。

★ドラゴンワゴン時代からの変化

吉祥寺怪人（以下、怪） ドラゴンワゴン（1998年）以降、2000年代に入って設計方式にどのような変化がありましたか？

佐藤 それまでは2DのCAD《キャド》でしたが、ちょうど2000年くらいから3DのCADが使われるようになりました（＊1）。しかし当時は非常に労力がかかるため、パーツを全部3D化するのではなく、大きなところ、形の難しいところ～砲塔や車体上部などを重点的にやりはじめました。

怪 その方式がさらにここ数年で進歩したわけですね。

佐藤 もう3D空間上で模型が組めます。なにがいいかというと、あたりチェック（＊2）が完全にできるようになりました。部品同士があたらず、組み立てもスムーズに思ったとおりのことができているかを確認できます。2Dのときは部品の組み合わせが想像の部分もありましたので、帰宅後に寝ながら頭の中であたりを確認していて、急に「あ、あたってる！」と気づいて汗をかいて起きたり……そういうのはほんとに怖かったですね（笑）。

モリナガ（以下、モ） いい話ですねぇ！ 私も頭の中でぐるぐる回すことはありますね。逆に画面の中で回せるようになると、もっとこうしようと際限がなくなることはないんですか？

佐藤：それは……あります。画面の中で部品を拡大していくと、寄りすぎて大きさがどんどんわからなくなってしまうんです。

モ タミヤ製品を作っていて模型の塩梅というのをすごく感じます。無限に作りこんでいったらぜったい完成しないわけですよね。設計のうえでも「ここまで！」と止める、その感じというのはどなたが決めているんでしょうか？

海野 そこは私が毎日悩んでいます（笑）。子どものころからプラモデルを作ってきた世代のぼくらと、スマホ世代の若手たちでは感覚的にちがいがあり、彼らはデジタルな作業は得意なのですが、画面の中で設計したものが現物の部品になったときどうなるのか、これらの指導が難しいですね。最終的にはアナログのものを作っているので……。

モ そう、そうなんですよね！

怪 具体的に気をつけていることはありますか？

佐藤 まず、部品数を増やさないようにしたいのと、解像度を落とした感覚で対象物を見るというか……模様があると影が落ちるじゃないですか？ 抽象的ですがそういう濃く見えるところを優先していく感じで、イメージを損なうような部分の情報を間引いてはまずいということですね。最小限で最大の効果を出すのを狙っています。

海野 いくつかのルールを設けているんです。これ以上こまかいのは加工できないよと、社内の金型部門から要望があります。加工するカッターやドリルのような刃物の径など、物理的な限界があるため、それ以上はこまかくできないというのが社内で決めているルールの一つになります。あとは実車を見たときの感覚的なもの～ここは特徴があるから再現するかしないか、というのはその都度、担当者と上司が相談して決めています。

モ そういったルールが……。

佐藤 それがあるからこそ金型の条件がよくなって、結果的に精度が上がり、組みやすさにつながっていると思います。

★組み立て時のリズム感

モ むかしから15センチ砲が好きで、他社のキットの作りかけを出してみたんです。たしかにこまかいんですが、えらく工程が多くて……。

佐藤 組み立て時のリズム感をくるわせてまで部品分割や模様を入れてはいけないというか、そこには気をつけていますね。

取材中、田宮俊作会長が立ち寄ってくださった。「本（第1、2集）を読みましたよ、いやあおもしろい！　いろいろ思いだしてね」とお褒めいただき感無量……。

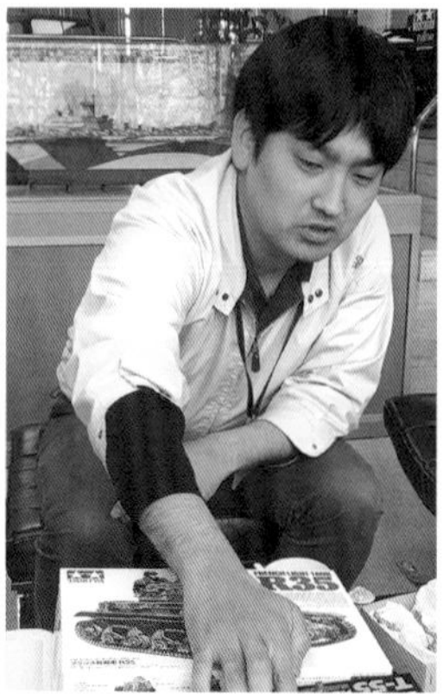

今回お話をうかがったみなさん。右からタミヤ企画開発部の佐藤頼直さん、藤田祐樹さん。佐藤さんは本書記事にもたびたび登場するミリタリーモデル企画担当者、藤田さんはMMを中心とした人形を担当。また彼らの開発内容を統括されている海野剛弘さんも同席された。

【＊1】それまで手書きだった図面が、コンピュータ製図システム＝2D CAD（ツーディー・キャド）に取って代わり、21世紀に入りコンピュータ上で立体的な形状を作成できる3D CADへと更新された。

【＊2】設計した部品の寸法や部品同士のはめ合わせが正しいか、他部品と干渉しないかなどを確認すること。

モ　リズム感というのはやはり意識されているわけですね？

佐藤　タタタっと組めるというのが、まずは自分でも好きですので。

モ　タタタっと♪

佐藤　ほんとうにそういうふうに組めてほしい……修行のように同じ作業が続くというのがきらいなもので（苦笑）。

モ　私も今回、この十年分の原稿を見直してみて「みるみるできる」とか「モリモリできあがる」などと何度も書いていました。送り手が「タタタっと組める」ように作っていたわけですね、なるほど！

海野　部品分割のことで補足しますと、分けるほうが楽なんです。でも設計の旨味がない。そこを分けずにいかに省略してらしさをだすことのほうが技術的に難しく、設計者の力が試されるので、そこをいつも考えるようにしています。

佐藤　戦車の足まわりなどは強度を重視し、しっかりした核になるところを作って、そこに車軸や転輪をつけるようにしています。最近ですと『フランス軽戦車R35』の車軸ですが、車台と一体化したほうがいいなと。

怪　そうか……車台側に軸を差したいところだけれど、がたつきが……。

佐藤　他社のキットなどを組んでみるとそこがウィークポイントだなぁと。そこがまず組めないと、全体がちゃんとしないんですね。そういうところを常に気をつけてやらなきゃいけないなと思っています。

★新たな名優たち、3D人形一座

怪　次に、近年好評の3Dスキャンによる人形の開発についてですが、どのような工夫と演出がなされているのでしょう？

藤田　基本的に車両キットに付属する人形と、人形単品のセットではシチュエーションがちがいます。単品の場合は使いやすさですね。いままで人形を組んだことのない方でも手をつけてほしいと思っているのですが、そういう方たちにいきなり5体を組み合わせて作る情景の設定はさすがにハードルが高すぎます。近年、模型の展示会に行くと車両の横に一人の兵隊が立っているような作品をよく見かけます。なので『ドイツ歩兵セット（大戦中期）』ではそういう方たちにもアプローチできるよう、単品で飾っても見ばえがする、さらに集めると雰囲気が出る、ということを意識して、そこからポーズの選定をはじめました。

車両に乗せる人形に関しては、当時の戦場写真を見て、戦車兵がその戦車でよくとっているポーズを参考にして、車両設計担当者といっしょにあぁでもないこうでもないとポーズを決める感じですね。車両用と単品ではそこにちがいがあります。

モ　この5人組だと、僕は弾薬箱を持っている青年が好きなんです。ちょっとかったるそうな若手の感じが。

藤田　弾薬箱の中に弾薬と同じ重さのものを入れて、モデルさんに実際に2個持って長時間立ってもらったのですが、自然とだるそうなポーズになってくれましたね。

怪　えぇーっ（笑）。

藤田　何人かが連なっている場合は、誰がいちばん偉くて誰がいちばん年下なのかはポーズで出てくる部分もあるんです。この中だと弾薬箱を持たされている二等兵がいちばん若いだろうと考えて、なるべく顔の雰囲気も若くしたりしています。双眼鏡を持った下士官が、前線を見て今後どうしようかと見計らっているときに、やはり待ちぼうけを食わされるのは下っぱのひとたちだろうと。なのでその雰囲気は統一しました。

モ　ああ、脳内のイメージだけじゃないんですね！

★演技指導は映画のように

モ　スキャンのときのモデルさんは役者を連れてくるんですか？

藤田　いえ、ほとんど社員です。といっても、みんながMMに精通しているわけではないので、ポーズづけには苦労があります。ブーツにたくしこんだズボンのたるみが不自然な場合は、ぐるぐる歩き回ってもらってなじませたり。また「あなたはこういうところに座っています」「こういうものを持って進撃する途中です」などという設定を伝えて、そのひとなりに解釈してもらったり……。

怪　ほんとに映画の演技指導みたいなことをしているんですね！

佐藤　ですからそのひとの演技力に左右されますね。

藤田　すごく大事です。シチュエーションを理解して自発的にポーズをとってくれるひとのほうが、最終的にできあがったものがよくなりますね。

怪　やはりポーズとしてキマったものがよいのですね。

藤田　みんなでこねくりまわして決めるのも大事なんですが、誰かにパッと見せたときに「あ、これでいい」みたいなこともあるんですね。こまかい演技ではなく、遠くから見たときの存在感みたいなものが。

モ　ぱっと見てうまいポーズだから印象に残るんですね。ちなみに指差しポーズはわかりやすいからですか？

藤田　そうですね（笑）。車両につける人形2～3体でシチュエーションを考えるときに、みな同じ服装をしているので、一目見て誰が偉いのかをわかりやすくさせるには、指差しのポーズが多くなってしまいます。できるだけ指差しにはしないようにしているのですが、でもそれでカッコよければ採用しようという感じでやっています。

モ　ちなみに人形の顔は、3D上でどのくらいの大きさで作っているんですか？

藤田　これくらいです（両手で1／1サイズの頭部くらいを示す）。

モ　反則じゃないですか！

一同　（笑）

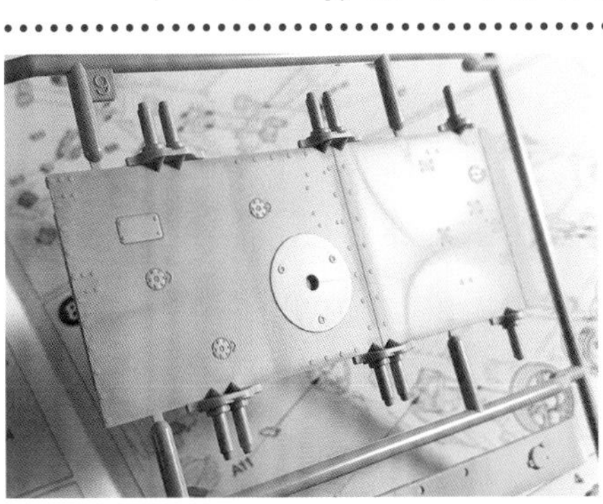

『フランス軽戦車 R35』（No.35373）の車体下部。実車同様、別パーツの車軸を車台へ接着する形式だとがたつきが発生するおそれがあるため、車台と一体化された。

『ドイツ歩兵セット（大戦中期）』（No.35371）。藤田さんのお話により、この五人の立ち位置、見ている風景が鮮やかに浮かびあがった。

タミヤ本社での取材はおそらく二十年ぶりくらいのモリナガさん。フンメルや本書カバー用に手を入れたナースホルンを持参するなど、異常なテンションで臨む。

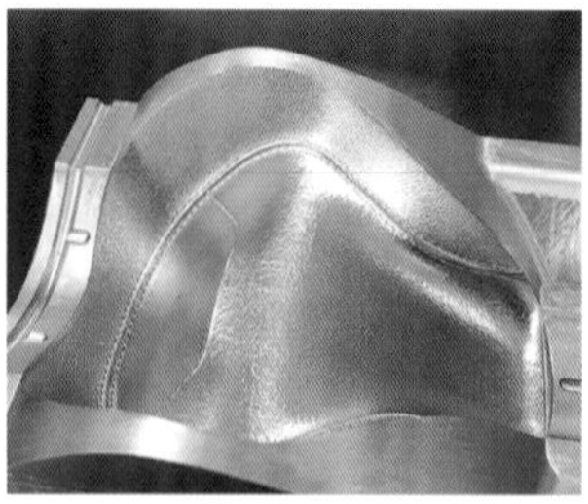

【右：A】鋳造表現の見本。現在では鋳造のテクスチャーデータ以外に、実車の鋳造写真をデータ化して金型表面に彫刻しているという。
【左：B】1/6バイクの座席部品の表面。従来の３軸式彫刻機（刃が上下と横移動）から５軸（３軸＋斜め移動）の彫刻機の導入によりテクスチャーデータの繊細な彫刻が可能に。

モリナガさんが2003年に作ったドイツ戦車兵（本書第１集掲載）。漆黒の軍服表現に衝撃を受けた読者のひとりが藤田さんだった（27頁参照）。その作品を彼に贈呈。MMの幸福な円環が閉じた瞬間だ。

ぱっと見てわかるポーズかぁ。
なるほど。
いろいろ腑に落ちる。
いっぱいいお話しが聞けてよかったです。
メーカーの蓄積って歴史あるたいしたモノだと実感。
◎記事に出てくる若い兵士はこのキャラクター
にじみ出るかったるさ！
とりあえず帰って寝たいぜ
スターリングラード手前…
組み方の塩梅は
私が悩んでます
うんのさん
例 四連装＋防寒服
さとうさんはだいたい同世代。
ブタさん
面白いことはけっこう先にやられちゃってて
㋲2020.

藤田　ただ人形にもルールがありまして、たとえば鼻先をシャープに作っても、金型を彫れるカッターがなければ再現できないんです。

モ　なぜ3D上の大きさをきいたかというと、私たちはこのサイズ（1／35で1センチ弱）で色を塗るわけで……以前は裸眼でやっていましたが、じゃあこっちも顕微鏡がいるなあとか。

藤田　そうならないように、意図的にデフォルメしている部分もあるんです。眼球を表現しているものもあれば、上まぶたの彫刻を深くして、スミ入れするだけで自然な影が落ちるように作った人形もありますね。

モ　ああ、ドイツ戦車兵の彼（27頁参照）ですね。彼は似顔絵が描けますよ。

★3D技術の応用

怪　3Dスキャン技法を人形だけでなく、今後は車両の再現にもっと応用していくことはあるのでしょうか？

海野　条件、環境が整ったアイテムでは車、バイク、MMのキャンバス部分など、すでに導入しており、今後もさらに活用していきたいです。

怪　戦車の鋳造肌などはスキャンできたらいいなあと単純に思ってしまいます。

藤田　そのあたりの進化を見ていただこうと思います……（金属の塊が登場）。

モ　おおっ⁉

藤田　これは電極に見立てた見本で（写真A参照）、これを最終的に凹型の金型にするのですが、むかしは設計や金型担当の人たちが表面をタガネで打って鋳造の雰囲気を出していたんです。しかしその手法ですと個々人の技量の差が出たり、時間が読めない部分もありました。そこで人形が3D造形に移行したタイミングで、こういう表面のテクスチャーもデジタルで入れられるソフトを一緒に導入しました。

これはバイクのシートの部品の型なんですが（写真B参照）、データ上で作った革のテクスチャーを直接、彫り込んでいるんです。こういうところも人形と一緒に進化しています。

★MM時間の流れ方

怪　最近では技術的な進歩によるものなのか、開発ペースが上がっているように感じます。

佐藤　上がっていますね。3D化以前は、車両の部品ができてからでないと進められなかった人形の開発期間が縮まりました。

藤田　そこは大きいですね。開発～テストショットまでの期間が短くなり、結果的によい循環になったと思います。

モ　なるほど……。お話をうかがって納得しましたが、ベースがしっかりしているから、ユーザーがいろんなことができるというのは実感としてありますね。はいりこんでいる時間っておもしろくて飛んじゃうんです。プラモは時間の飛び方が独特ですよね。たとえばこのナースホルンでは、引き込むフックがあるのではいりこんでいける感じが強い。砲のトラベルロックのごちゃごちゃしてるところを作っていると二時間くらいかかるわけですよ。午前中をつぶしてうまくいかなくてもう一回とか……でもその時間はつらくない。

佐藤　まさにそのとおりというか……。そう思っていただけてありがたいです。

モ　うまくできたら倍うれしいわけですもんね。だから大人になっていろんな道具は必要になってくるけど、冒険はできるよ……そんなことを五十いくつになって思うんですよ。■

（2020年3月26日、静岡市タミヤ本社にて収録／構成：吉祥寺怪人）

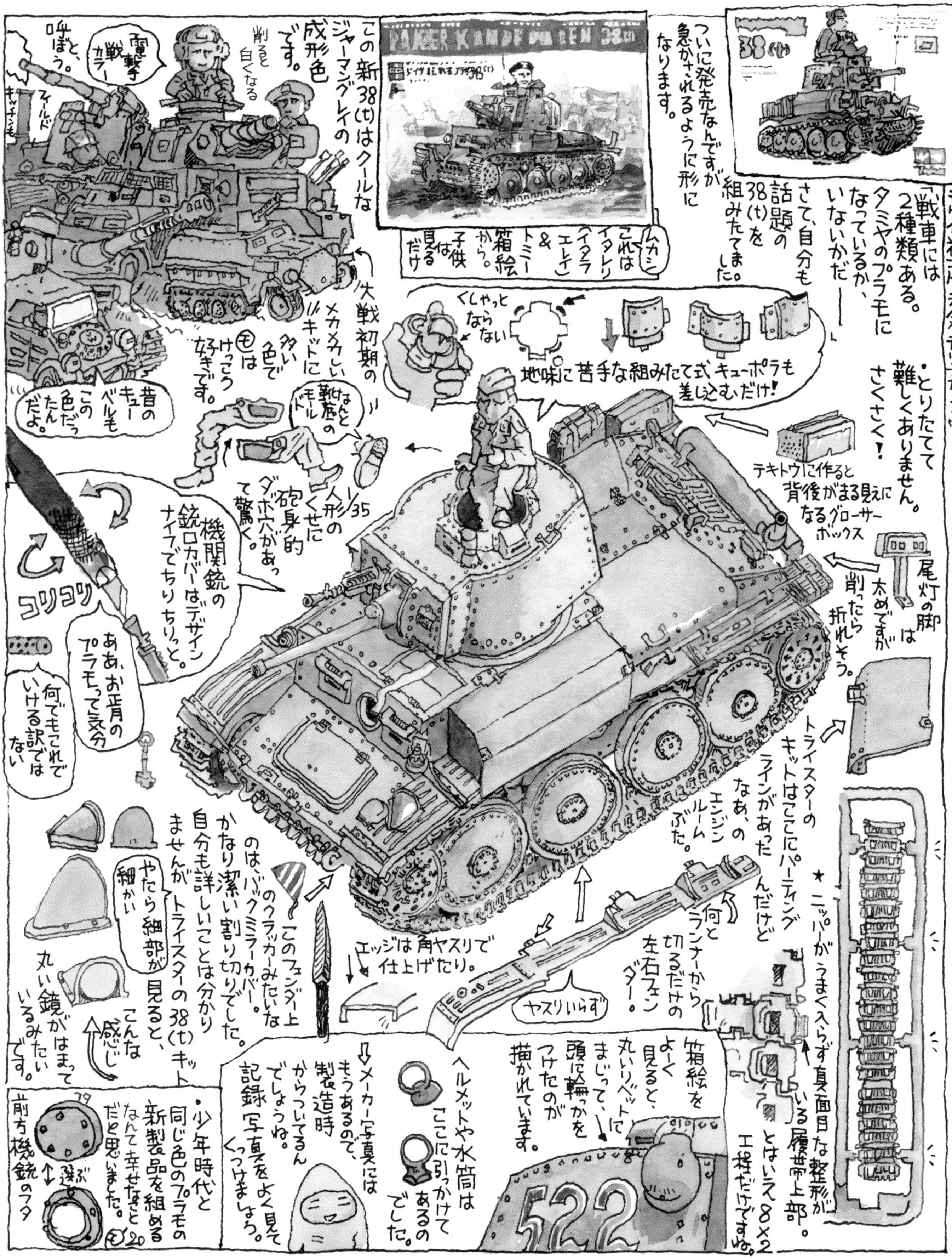

モケイネゴト えええ モリナガ・ヨウ
「戦車には2種類ある。タミヤのプラモになっているか、いないかだー」
さて、自分も話題の38(t)を組みたてました。
PANZER KAMPFWAGEN 38(t)
ムカシこれはイタレリ(イタラエレイ)&トミー箱絵から。子供は見るだけ
ついに発売なんですが急かされるように形になります。
この新38(t)はクールなジャーマングレイの成形色です。
削ると白くなる
電撃戦カラー
呼ぼう。
フィールドキッチンも
大戦初期のメカメカしいキットに多い色で㋲はけっこう好きです。
昔のキューベルもこの色だったんだよ。
・とりたてて難しくありません。さくさく！
くしゃっとならない
地味に苦手な組みたて式キューポラも差し込むだけ！
テキトウに作ると背後がまる見えになるグローサーボックス
尾灯の脚は太めですが削ったら折れそう。
なんと靴底のモールド
1/35人形のくせに砲身的ダボ穴があって驚く。
機関銃の銃口カバーはデザインナイフでちりちりっと。
コリコリ
ああ、お正月のプラモって気分
何でもこれでいける訳ではない
トライスターのキットはここにパーティングラインがあったんだけどなあ、のエンジンルームぶた。
何とランナーから切るだけの左右フェンダー。
ヤスリいらず
エッジは角ヤスリで仕上げたり。
★ニッパーがうまく入らず真面目な整形がいる履帯上部。とはいえ8×2工程だけですね。
このフェンダー上のクラッカーみたいなのは、バックミラーカバー。
かなり潔い割り切りでした。自分も詳しいことは分かりませんが、トライスターの38(t)キットを見ると、
やたら細部が細かい
こんな感じ
丸い鏡がはまっているみたいです。
箱絵をよーく見ると、丸いリベットにまじって、頭に輪っかをつけたのが描かれています。
ヘルメットや水筒はここに引っかけてあるのでした。
メーカー写真にはもうあるので、製造時からついてるんでしょうね。記録写真をよく見てくっつけましょう。
・少年時代と同じ色のプラモの新製品を組めるなんて幸せなことだと思いました。
㋲20
選ぶ
前方機銃のフタ
522

【初出：月刊アーマーモデリング　2020年2月号、No.244】

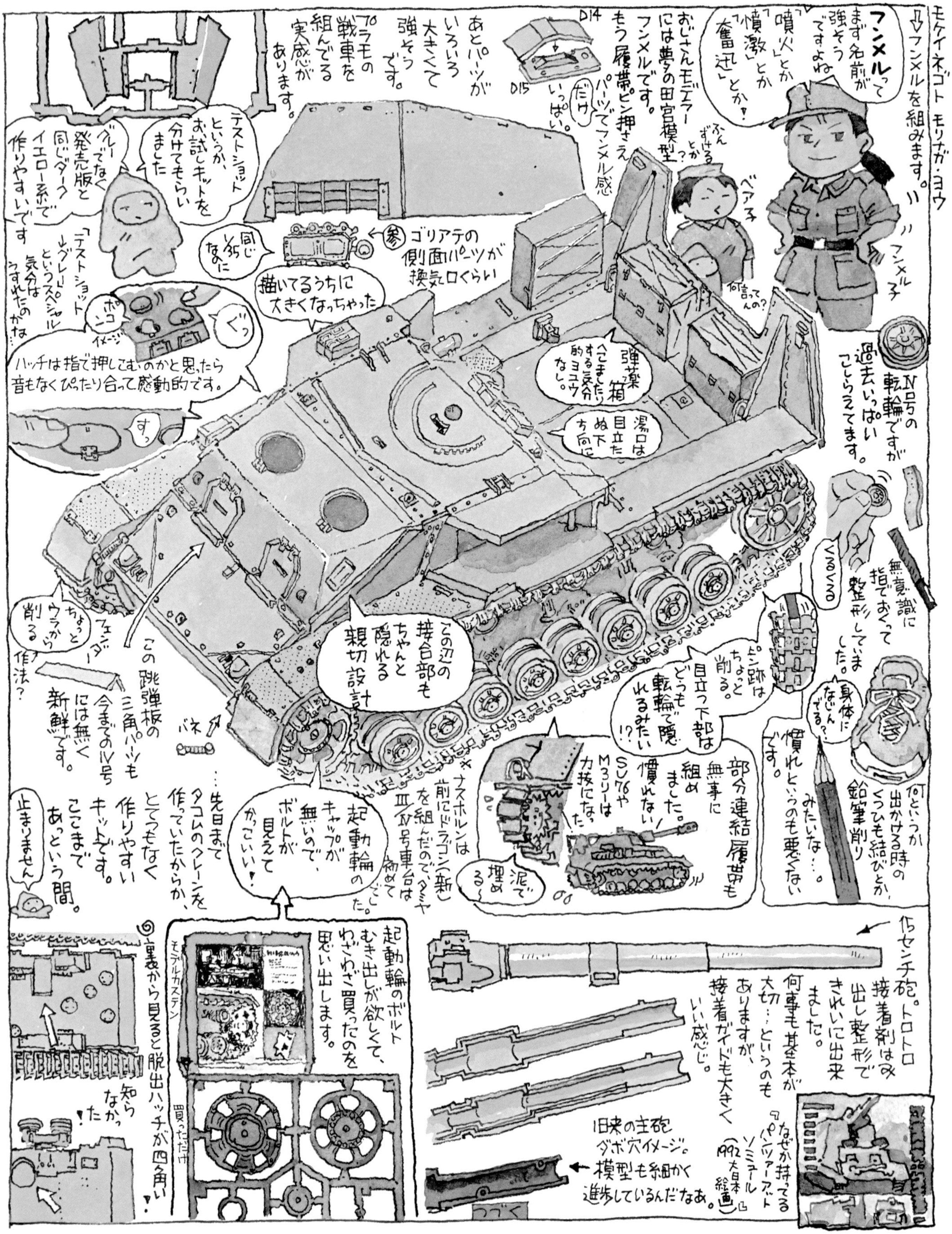
モケイネゴト　モリナガ・ヨウ
⇩フンメルを組みます。
フンメルってまず名前が強そうですよね
「噴火」とか「憤激」とか「奮迅」とか！
フンメル子
ベアア子
ふんずけるとか？
何言ってんの？
おじさんモデラーには夢の田宮模型フンメルです。
もう履帯ピン押さえパーツでフンメル感いっぱい。
だけ
D14
D15
あとパーツがいろいろ大きくて強そうです。
プラモの戦車を組んでる実感があります。
テストショットというか、お試しキットを分けてもらいました
グレーでなく発売版と同じダーク イエロー系で作りやすいです
「テストショット」↓「グレー」というスペシャル気分はうすれたのかな…
同じ1/35なのに
参 ゴリアテの側面パーツが換気口くらい
描いてるうちに大きくなっちゃった
ポコン
イメージ
ぐっ
ハッチは指で押しこむのかと思ったら音もなくぴったり合って感動的です。
すっ
弾薬箱
へこましたりする気分的ヨユウなし。
湯口は目立たぬ下方向に
N号の転輪ですが過去いっぱいこしらえてます。
くるくる
無意識に指でおくって整形していました。
身体になじんでる？
何というか出かける時のくつひも結びとか、鉛筆削り
みたいな…。
慣れというのも悪くないです。
ピン跡はちょっと削る。
目立つ下部はどうも転輪で隠れるみたい!?
部分連結履帯も無事に組めました。
慣れない
SU76やM3リーは力技になった
泥で埋める～
この辺の接合部もちゃんと隠れる親切設計
ちょっとウラから削る
フェンダー
作法？
この跳弾板の三角パーツも今までのIV号には無く新鮮です。
バネ
※ナスホルンは前にドラゴン(新)を組んだので、タミヤIII/IV号車台は初めてでした。
起動輪のキャップが無いので、ボルトが見えてかっこいい！
…先日までタコムのクレーンを作っていたからか、
とてつもなく作りやすいキットです。
ここまであっという間。
止まりません
起動輪のボルトむき出しが欲しくて、わざわざ買ったのを思い出します。
モデルカステン
買っただけ
裏から見ると脱出ハッチが四角い！
知らなかった！
15センチ砲。トロトロ接着剤はみ出し整形できれいに出来ました。
何事も基本が大切…というのもありますが、接着ガイドも大きくいい感じ。
旧来の主砲ダボ穴イメージ。
模型も細かく進歩しているんだなあ。
『なぜか持ってるパンツァーアートソミュール』(1992大日本絵画)
つづく

【初出：月刊アーマーモデリング　2019年8月号、No.238】

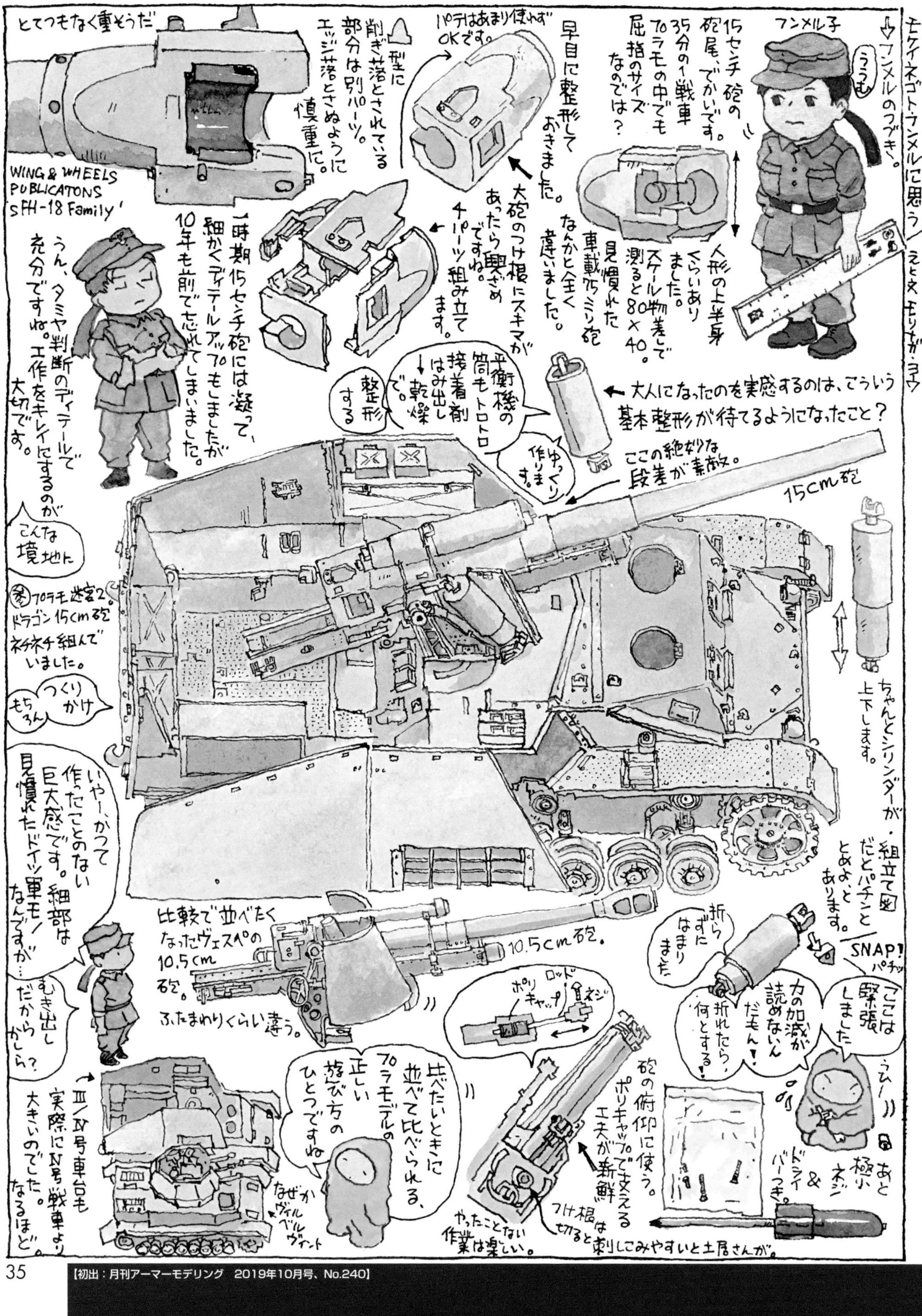
モケイネゴト・フンメルに思う
えと文 モリナガ・ヨウ
フンメル子
うっむ
フンメルのつぶやき。
15センチ砲の砲尾、でかいです。35分の1戦車プラモの中でも屈指のサイズなのでは？
人形の上半身くらいありました。スケール物差しで測ると80×40。
とてつもなく重そうだ
型に削ぎ落とされている部分は別パーツ。エッジ落とさぬように慎重に。
パテはあまり使わずOKです。
早目に整形しておきました。
WING & WHEELS PUBLICATONS 'sFH-18 Family'
大砲のつけ根にスキマがあったら興ざめですね。
4パーツ組み立てます。
見慣れた車載75ミリ砲なんかと全く違いました。
一時期15センチ砲には凝って、細かくディテールアップもしましたが10年も前で忘れてしまいました。
うん、タミヤ判断のディテールで充分ですね。工作をキレイにするのが大切です。
平衡機の筒もトロトロ接着剤はみ出し乾燥で。
↓
整形する
ゆっくり作ります。
← 大人になったのを実感するのは、こういう基本整形が待てるようになったこと？
ここの絶妙な段差が素敵。
15cm砲
こんな境地に
(参)プラモ迷宮2。ドラゴン15cm砲ネチネチ組んでいました。
もちろん
つくりかけ
ちゃんとシリンダーが上下します。
組立て図だとパチンととめよ、とあります。
いやー、かつて作ったことのない巨大感です。細部は見慣れたドイツ軍モノ！なんですが…
むき出しだからかしら？
比較で並べたくなったヴェスペの10.5cm砲。
10.5cm砲。
ふたまわりくらい違う。
折らずにはまりました
SNAP!
パチッ
ここは緊張しました
力の加減が読めないんだもん！
折れたら、何とする！
うひー
ポリキャップ
ロッド
ネジ
砲の俯仰に使う。ポリキャップで支える工夫が新鮮
つけ根は切ると刺しこみやすいと土居さんが。
やったことない作業は楽しい。
比べたいときに並べて比べられる、プラモデルの正しい遊び方のひとつですね
Ⅲ/Ⅳ号車台も実際にⅣ号戦車より大きいのでした。なるほど。
なぜかヴィルベルヴィント
あと極小ネジ&ドライバーつき。

【初出：月刊アーマーモデリング　2019年10月号、No.240】

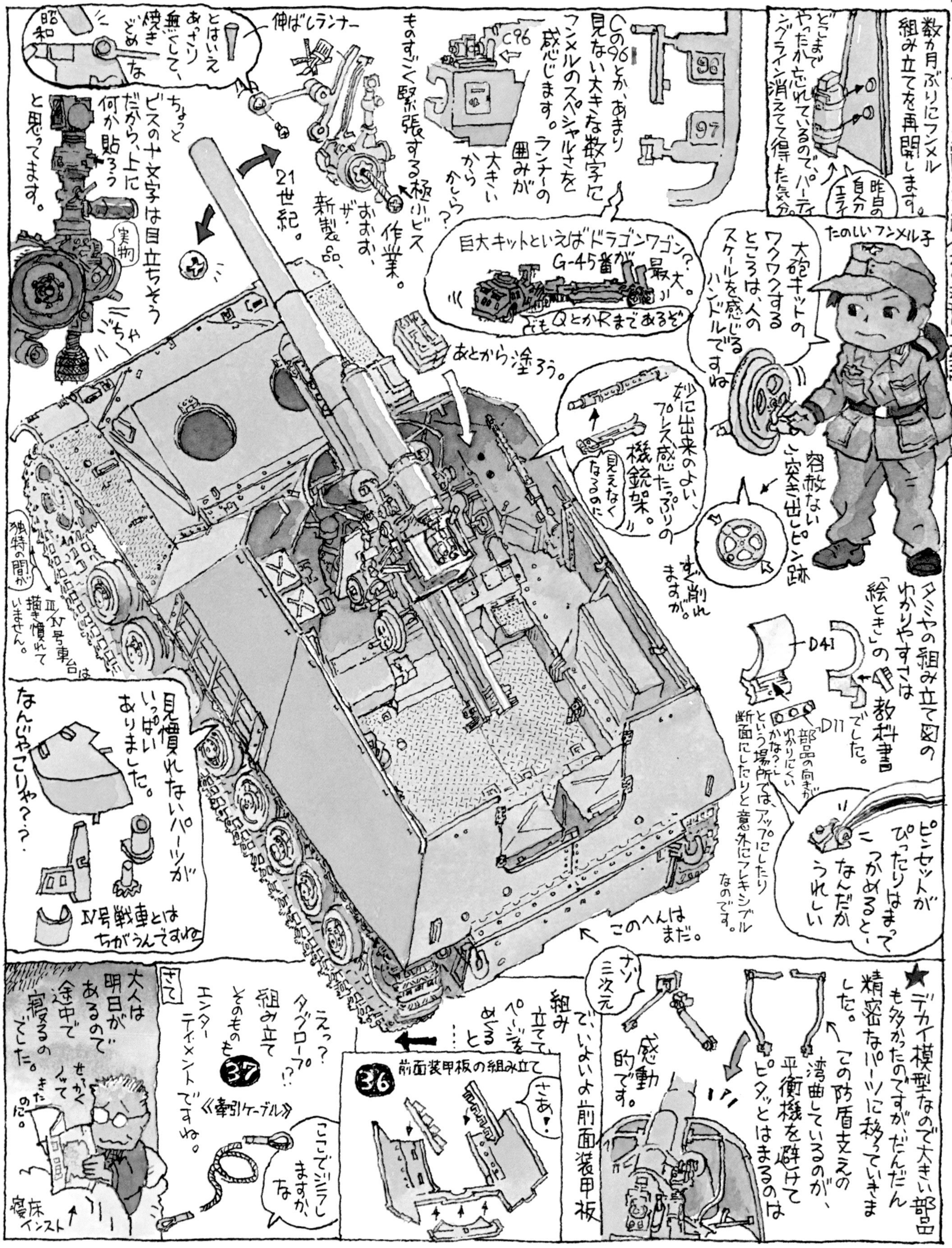
モケイネゴト・無限フンメル／えと文キリナガヨウ
数カ月ぶりにフンメル組み立てを再開します。
どこまでやったか忘れているので、パーティングライン消えてて得た気分。
昨日の自分エライ
Cの96とか、あまり見ない大きな数字にフンメルのスペシャルさを感じます。
C96
96
97
ランナーの囲みが大きいからからから？
ものすごく緊張する極小ビス作業。
おおお、ザ・新製品、21世紀。
伸ばしランナー
とはいえあっさり無くして、焼きどめな
昭和
ちょっとビスの十文字は目立ちそうだから、上に何か貼ろうと思ってます。
実物
ごちゃ
巨大キットといえばドラゴンワゴン？G-45番が最大。
でもQとかRまであるぞ
たのしいフンメル子
大砲キットのワクワクするところは、人のスケールを感じるハンドルですね
あとから塗ろう。
妙に出来のよい、プレス感たっぷりの機銃架。
見えなくなるのに
容赦ない突き出しピン跡
すぐ削れますが。
タミヤの組み立て図のわかりやすさは「絵とき」の教科書でした。
D41
D11
部品の向きがわかりにくいかな？という場所では、アップにしたり断面にしたりと意外にフレキシブルなのです。
ピンセットがぴったりはまってつかめると、なんだかうれしい
このへんはまだ。
独特の間が
III/IV号車台は描き慣れていません。
見慣れないパーツがいっぱいありました。
なんじゃこりゃ？？
IV号戦車とはちがうんですね
★デカイ模型なので大きい部品も多かったのですが、だんだん精密なパーツに移っていきました。
この防盾支えの湾曲しているのが、平衡機を避けてピタッとはまるのは
感動的です。
ナゾ三次元
で、いよいよ前面装甲板
組み立てて……ページをめくると
36 前面装甲板の組み立て
さあ！
さて
えっ？タグロープ！？
組み立てそのものも37
エンターテイメントですね。
《牽引ケーブル》
ここでジラしますかな
大人は明日があるので途中で寝るのでした。
せっかくノッてきたのに。
寝床インスト

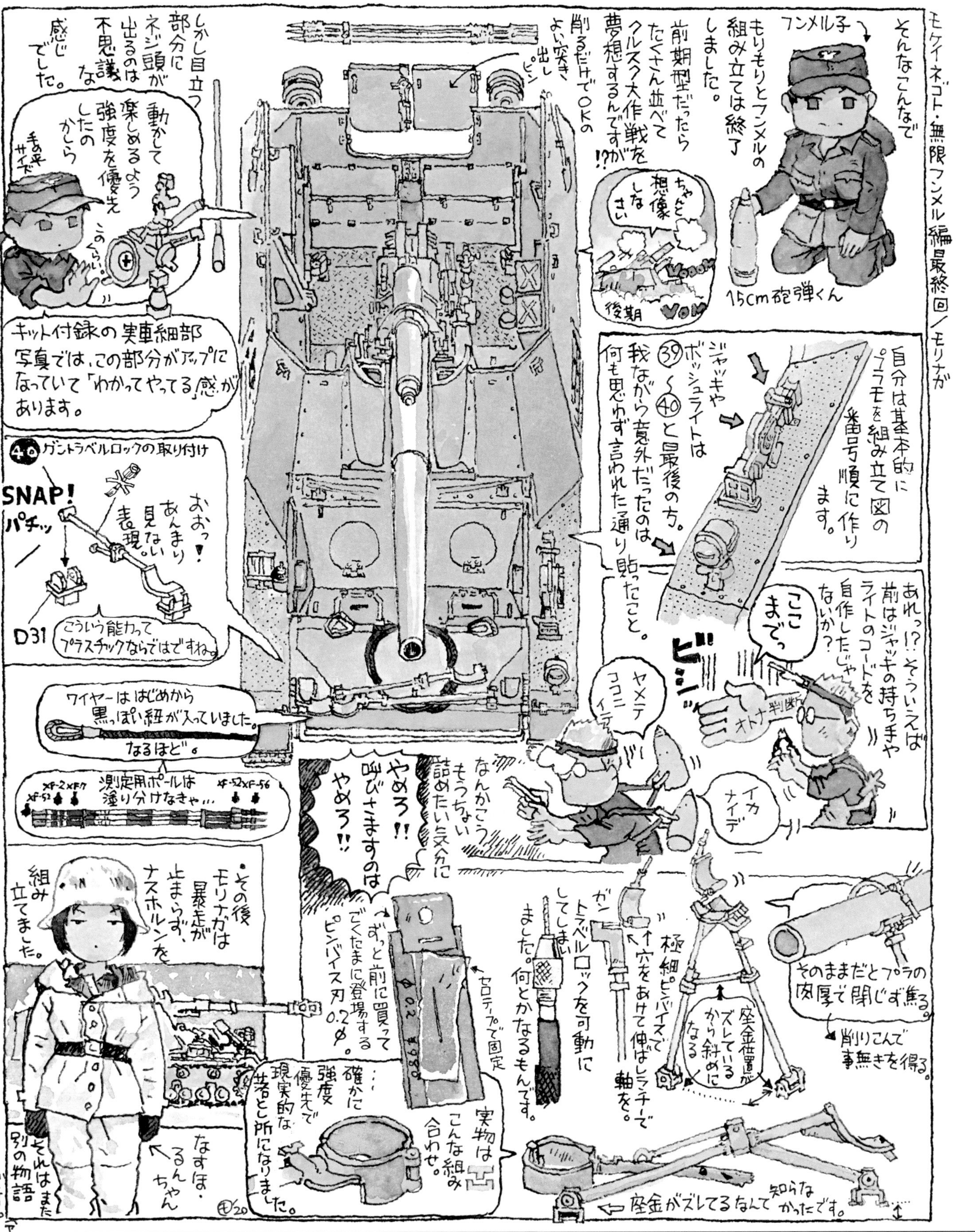
モケイ・ネゴト・無限フンメル編最終回／モリナガ
そんなこんなで
フンメル子
もりもりとフンメルの組み立ては終了しました。
15cm砲弾くん
前期型だったらたくさん並べてクルスク大作戦を夢想するんですが!?
ちゃんと想像しなさい
後期
VOOOM
VOM
削るだけでOKの
よい突き出しピン
しかし目立つ部分にネジ頭が出るのは不思議な感じでした。
動かして楽しめるよう強度を優先したのかしら
手の平サイズ
このくらい。
キット付録の実車細部写真では、この部分がアップになっていて「わかってやってる」感があります。
㊵ガントラベルロックの取り付け
SNAP!
パチッ
D31
おおっ！あんまり見ない表現。
こういう能力ってプラスチックならではですね。
ワイヤーははじめから黒っぽい紐が入っていました。
なるほど。
測定用ポールは塗り分けなきゃ…
XF-52
XF-2
XF-7
XF-52
XF-56
自分は基本的にプラモを組み立て図の番号順に作ります。
ジャッキやボッシュライトは㊴〜㊵と最後の方。我ながら意外だったのは何も思わず言われた通り貼ったこと。
あれっ!? そういえば前はジャッキの持ち手やライトのコードを自作したじゃないか？
ここまでっ
ビシッ
オトナ判断
ヤメテ ココニ イテ
イカナイデ
なんかこうもうちょい詰めたい気分に
やめろ!! 呼びさますのはやめろ!!
極細ピンバイスで穴をあけて伸ばしランナーで軸を。
ガントラベルロックを可動にしてしまいました。何とかなるもんです。
ずっと前に買ってごくたまに登場するピンバイス刃0.2φ。
セロテープで固定
0.2
#980
座金位置がズレているから斜めになる
そのままだとプラの肉厚で閉じず焦る。
削りこんで事無きを得る。
・その後モリナガは暴走が止まらず、ナスホルンを組み立てました。
なすほ・るんちゃん
それはまた別の物語です。
確かに…強度優先で現実的な落とし所になりました。
実物はこんな組み合わせ。
座金がズレてるなんて知らなかったです。
モ'20

【初出：月刊アーマーモデリング　2020年4月号、No.246】
★あっ、ほら測定用ポールにもフラットレッド必要！（モ）

第2章

②モケイコラムの取付

《各国戦車模型総まくり》

ここ数年、タミヤMMだけでなく国内外の戦車模型の充実ぶりは著しかった。そのすべてを網羅するのは不可能だが、著者は塗装せず組み立てを味わうという境地に到達、相当数のキットを嗜んだ。

不定期マルモ
ブランク長すぎ？ え＆文 モリナガ・ヨウ
☆久しぶりに戦車プラモに色を塗る編。前回の続きです。ではオリーブドラブを開けよう！
乾いている!!
プラモはマメに作ってないといかんですな。
という訳でエンベを買うところから。
フタが縮んでいて不安になったが、NET 10ml なので同じだった。
エアブラシは外で昼間吹いちゃいます。
冬の天気のいい日 関東の冬は晴れが多いのでブーッと。
基本塗装だからざっくり。
ブー
風が強い日は難しいかも。
製造してないから大事に手入れしながら使いつづけている万年調合皿。
手持ちはあと2皿だ。
水を使わなければ錆びないぞ
箱の中でスプレー。
たまにしか使わないからこれでいいのだ!?
プラの色とそんなに変わらないなあ…。
あっ！しばらくして裏をよく見るとパテで均した部分がくっきり。
あああっ
薄吹きだからかなあ。下地を作らないとこういう間抜けなことも起きるのかー。何度も何度も吹くことになった。
ほとんど無くなっちゃった
サーフェイサーとかは、大がかりになるからあんまり使いたくないタイプなのだが、
☆で、更にちょっと退色表現っぽい色も吹いてみよう。
XF-62 オリーブドラブ
XF-25 ライトシーグレー
陸自なんかの使いこんだ車輌は、オリーブドラブの黄色が抜けて、なんとも青グレイみたいな色になるし…。
のタミヤアクリルにアルコールを混ぜて吹くのが好き。トニー・グリーンランドが言ってたやり方を未だに遵守している。
1990年ごろの英国流最新技法だったのだ！塗膜薄いしすぐ乾く
アルコール
※ずっと持ってた燃料アルコール、さすがに無くなったから買いたした。注ぎ口が新しくなって進化
どうせ上に汚しを塗るから
その場でテキトーに調合しました
デカール
ドイツ戦車は周囲のニス部分切り離すの楽だが、丸は難しいですね。
おや裏の青い注意書きがない…。
貼ってみよう！うぬぬっ
けっこう大ボスだぞ。
マークソフターつけると… うわ伸びる
細かく傷つけてしまう。慣れてないです。しかもシルバリング
前にガンプラ作ってた長男からトップコートもらう。
ホコリ
何とかなってきた！
転輪の黒いゴムは一応塗っておくか…。あれ？万能ジャーマングレイが無い。これまた適当なアクリル絵の具をラッカーシンナーで溶いて着彩した。そんなにはみ出さなくて良かった！
万年皿。これはまだ油断して使い捨てに近い…。
あまりに手持ちの塗料が足りないから、大きな模型屋に行ってみる。知らないのいっぱいだ！
これは何で溶けますか
えーと水ですね
ぐぬぬっ。こんな質問をプラモ屋でする日が来ようとは。初心者に戻っている～。
他に「白」とか「黒」とか基本的な色も買っておく。
TANK ACCESORIES
AK
こんなリアルに塗れるツールが、と逆上するも、
家でよく見たら箱の写真は実車のみたい。
さていよいよ細部へ。
XF-1
XF-2
62 つや消しホワイト
あ、さすがにラッカーとエナメルの区別はついてますよ
ほとんど外から見えないと舐めてかかったら、何だかムラだらけ&ペカペカ。昔、ショーウインドウで見た「あんまり戦車作ったことない人の作品」みたいな感じに。車内の白を塗るのは何十年ぶり…うう、客観的に？その通りじゃないか
ペカペカ
ムラムラ
楽しい汚し塗装はもっと先だ。
イスとか機関銃とか細部いっぱいだ！
これも水性ガンダムマーカー汚し愛用のがなくなったから買ってみた。油性なのか。
ウェスタン的文字デザイン
パステルもいっぱい持ってるが？

【初出：月刊アーマーモデリング 2017年3月号、No.209】
★まさかそののち、2020年の新型肺炎騒動でアルコールが手にはいらなくなる日が来ようとは。（モ）

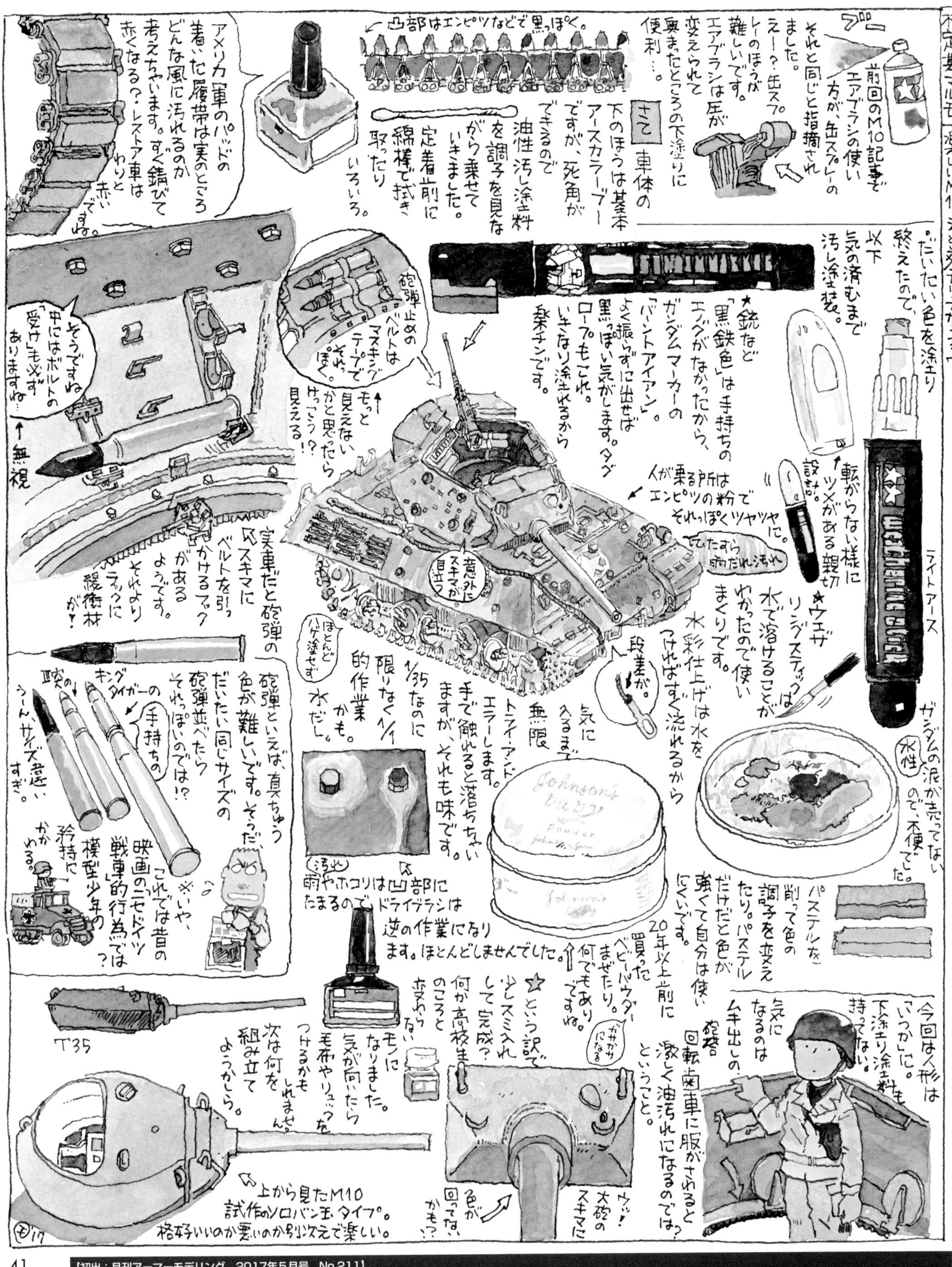
不定期マルモ
楽しいM10 えと文/モリナガ・ヨウ
前回のM10記事でエアブラシの使い方が、缶スプレーのそれと同じと指摘されました。
ブー
えー？・缶スプレーのほうが難しいです。エアブラシは圧が変えられて奥まったところの下塗りに便利…。
凸部はエンピツなどで黒っぽく。
さて 車体の下のほうは基本アースカラーブーですが、死角ができるので油性汚し塗料を調子を見ながら乗せていきました。
定着前に綿棒で拭き取ったり
いろいろ。
アメリカ軍のパッドの着いた履帯は実のところどんな風に汚れるのか考えちゃいます。すぐ錆びて赤くなる？・レストア車はわりと赤いですね。
・だいたい色を塗り終えたので、
以下
気の済むまで汚し塗装。
★銃など「黒鉄色」は手持ちのエノグがなかったから、ガンダムマーカーの「バーントアイアン」。よく振らずに出せば黒っぽい気がします。タグロープもこれ。いきなり塗れるから楽チンです。
転がらない様にツメがある親切設計。
ライトアース
人が乗る所はエンピツの粉でそれっぽくツヤツヤに。
ひたすら雨だれ汚れ
砲弾止めのベルトはマスキングテープでそれっぽく。
↑もっと見えないかと思ったらけっこう見える!?
そうですね中にはボルトの「受け」も必ずありますね…
↑無視
実車だと砲弾のスキマにベルトを引っかけるフックがあるようです。それよりラックに緩衝材が！
意外にスキマが目立つ
ほとんどハゲ塗せず
1/35なのに限りなく1/1的作業かも。水だし。
手で触れると落ちちゃいますが、それも味です。
気に入るまで無限トライ・アンド・エラーします。
段差が。
★ウェザリングスティックは水で溶けることがわかったので使いまくりです。
水彩仕上げは水をつければすぐ流れるから
ガンダムの水性の泥が売ってないので、不便でした。
パステルを削って色の調子を変えたり。パステルだけだと色が強くて自分は使いにくいです。
20年以上前に買ったベビーパウダーまぜたり。何でもありですね。
ガサガサになる
砲弾といえば、真ちゅう色が難しいです。そうだ、だいたい同じサイズの砲弾並べたらそれっぽいのでは!?
キングタイガーの
手持ちの
T34の
うーん、サイズ違いすぎ。
※いや、これでは昔の映画のニセドイツ戦車的行為では？
模型少年の矜持にかかわる。
（汚れ）雨やホコリは凹部にたまるので、ドライブラシは逆の作業になります。ほとんどしませんでした。
T35
☆という訳で少しスミ入れして完成？何か高校生のころと変わらないモンになりました。
気が向いたら毛布やリュックをつけるかもしれません。
次は何を組み立てようかしら。
今回は人形は「いつか」に。下塗り塗料も持ってない。
気になるのは剥き出しの砲塔回転歯車に服がさわると激しく油汚れになるのでは？ということ。
ウッ！大砲のスキマに色が回ってない、かも!?
上から見たM10試作のソロバン玉タイプ。格好いいのか悪いのか別次元で楽しい。
モ17

【初出：月刊アーマーモデリング　2017年5月号、No.211】
★洋書をつい買いました。（モ）

祝MM50年② えと文/モリナガ・ヨウ
このかおりパクトラの角ビンだね
クロームシルバー40年ものです
親父さんに似てきたね
※前号は「いま」の話メインにしたので、今回はひたすら思い出話に振ります。
先日MM50周年交流会な行事に行きまして、くじ引きでパクトラのセットをもらいました。
この7色セットは子供には買えず、もう店頭にも無いのでうれしかったです。
こっちの棚は鉄道模型
こっちは煙草系。
タミヤニュース
何というか当時の模型屋がワープしてきたような変な気分！
何十年かすると手に入るぞよ！
・ちょっと引き出しを掘ったら古い溶剤も出てきました。
「銀とかは別の溶剤使いなさい」と本に書かれてて、全く子供には意味がわからなかったのを思い出します。
キラキラが残るからね
揮発してただの空ビン。
パクトラ溶剤
X-20
PACTRA TAMIYA
エナメル系塗料 パクトラタミヤ
X15 FLESH フレッシュ
XF10 FLAT BROWN フラットブラウン
X11 CHROMESILVER クロームシルバー
X12 GOLD LEAF ゴールドリーフ
XF6 COPPER コッパー
XF56 METALIC GREY メタリックグレイ
X20 THINNER 溶剤
金属色・人形の肌色・頭髪の色 ディテイルセット
古いモノなので窓の透明板がこすれてだいぶ白くなっていました。
デイテイルセットは「金属色・人形の肌色頭髪の色」とあります。
「なんか必ず入手しないといけない」なムードがただよってますよね。
裏面
「自動車のエンジンからジェット機の機体まで
メタリックグレイは万能だった。
コッパーがつや消し色だったなんて今日まで知りませんでした。
チハ車のアンテナぐらいしか使わず買ってないんじゃないかなあ。
金色や銀色は兵隊のボタンや勲章に使えます
クロームシルバーは輝きが違ったそうです
@箱から一本出してみました。
ウウッ!?何十年横になっていたのか、こんな風に沈殿しています。
早くかきまわしてくれ
この時代のフレッシュはX番台なのでつやあり。
肌色と髪の毛ってオレじゃないか
オレ様専用色だね
フラットブラウン
フレッシュ
このマークはもうあるのかしら？
銀色ってことはカバンにも！
将校セット
ほら、うろ頭
だけならレッドブラウンでも何でもいいし
双眼鏡
「こんなランナーについていたのか！」
（頼んで中身を見せてもらいました）
周囲にワクが無いってすごく新鮮です。
こういう風にしたら縮んじゃったらしいぞ
このあとリニューアルされたのですね。
背が
なにより彼が座れる戦車が無かった。「座る係」としてどこでも座ったのだが。
No.1 ドイツ戦車兵セット
これは他の人が当たりを引きました。
モも初めて見ました。
リニューアル
箱絵でもヘッドホンがある運転手。
プラモはヘッドホンなくて不思議でした。
ところでビンに書いてある「塗り面積0.2㎡」ってどのくらい？
昔から気になってます。
エナメルビン、きっちり使いきった記憶があんまりない。困っちゃう。
モ18

【初出：月刊アーマーモデリング　2018年11月号、No.229】
★第１章の冒頭（６、７頁）の記事に連動しています。（モ）

不定期マルモニュース・ぐるっとひと回り？ えと文／モリナガ・ヨウ
先日MAX渡辺氏とトークイベントやりました。
大学の先パイだから
ビミョーに立場が弱いモリナガ
トーク＋カレーというナゾ企画。
仕切りバーバラアスカどの
どうしてプラモは完成しない？という「ユルーイ」会です。
◎いくら何でも手ぶらではアレなので、数年ぶりに作りかけプラモに色を塗りました。ブランクがあると、まず基本色を買うところから▼。
どうせ汚れる＆泥汚れを塗りたいので、フラットアースをブー
泥汚れを目立たせたいから生き残っていたレッドブラウンも吹く。なんだかすごく暗い色になってしまったが、大した問題ではない。
細かなパーツがないから丈夫。
ベタベタさわったりクリアーをドライブラシしてつやを出す。
エアブラシのホース交換からなので、なかなかスタートできない。
で、いつものガンダムマーカーの砂色をメインに楽しく汚すも、マーカーがなくなり半面でストップ。
ええっ!? もう売ってないの？
油よごれなどはクリヤーオレンジを流したり。楽しい。
X-26 クリヤーオレンジ
シール退色(は)
レールのつぎ目などパテ埋めしたよ。
★で、最後の質問コーナーです。
作りかけばかりなのにどうしてエ号戦車はキッチリ完成しているんですか？
うお!? 作りかけと完成にそんな難しく考えたことないぞ!?
えーと…これは昔から見ていたA型のホコリまみれ写真がありまして
それがやりたかったんです。そのためには組み立てて、色を塗って、汚さないといけなかったんですよ…
人形スクラッチして
手元のタスカのイージーエイト。無限ともいえる組み立てを楽しめる。
透明パーツどうすりゃいいんだ
長い時間戯れているとナニゴトか「こもって」来ますね。
…これはトラベルロックが見当たらぬ。どうしようかなあ…
テキトウ絵
そっか
プラモによって目的が違うのではなかろうか？ 無限に妄想が広がって行くのも楽しみのひとつではあるが、「色を塗って汚し」というのが目的の場合、それが「完成」ではあるけど……
タイガーできた
ぐるっとひと回りして思い返すに、子供のころは色も塗らずに「完成」だった。未完成なんて思ってなかった。
これは地面まで作りたい
これは色を塗りたいな
組み立て楽しみたい。
ホロの具合が見たかった▼
という風にゴールはいろいろなんですよ
ルールにしばられると息苦しい！
趣味なので「自分でオワリ」と思ったらオワリで良い。多様な完成の提唱……なんて発言が出る地点までやってきてしまいました。
パパッと楽しむつもりで以前購入したロシアのフィールドキッチン。
いきなり第1工程で、「つぎ目を消すのか残すのか」わからず放置道中。
◎東武モデラーズギャラリーは「色を塗って完成」というレギュレーションですが。自分にとっての完成「オレ完」的大会があっても楽しいかもです。
プラモデルってフトコロの極めて高い趣味なんですねえ。
技法が義務になると大変だ。
コンテストなんかはまた別の話でしょうが
人に見せる

【初出：月刊アーマーモデリング　2016年5月号、No.199】
★この直後、自分は絵本で賞をいただき、MAXさんとバーバラさんが受賞パーティーの仕切りをしてくださいました。たいへんに感謝しております。（モ）

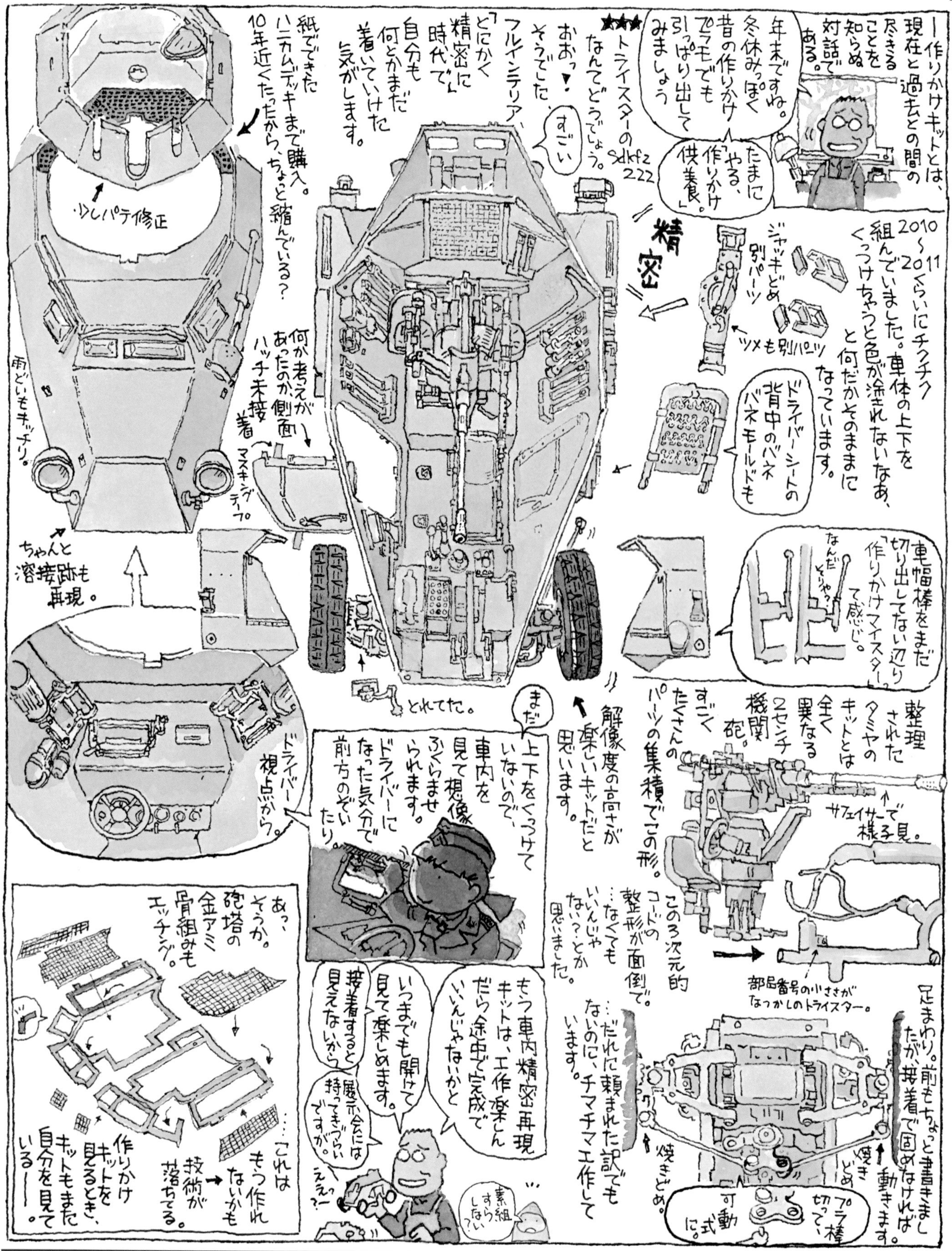
ー作りかけキットとは、現在と過去との間の尽きることを知らぬ対話である。
年末ですね。冬休みっぽく昔の作りかけプラモでも引っぱり出してみましょう
たまに「やる、作りかけ供養」。
★★★トライスターのSdkfz 222
なんてどうでしょう。
おおっ！そうでした、フルインテリア、「とにかく精密に」時代で、自分も何とかまだ着いていけた気がします。
すごい
紙でできたハニカムデッキまで購入。10年近くたったから、ちょっと縮んでいる？
少しパテ修正
精密
2010〜2011くらいにチクチク組んでいました。車体の上下をくっつけちゃうと色が塗れないなあ、と何だかそのままになっています。
ジャッキどめ別パーツ
ツメも別パーツ
ドライバーシートの背中のバネモールドも
何か考えがあったのか、側面ハッチ未接着
マスキングテープ
雨どいもキッチリ。
ちゃんと溶接跡も再現。
車幅棒をまだ切り出してない辺り「作りかけマイスター」って感じ。
なんだそりゃ？
ドライバー視点から。
とれてた。
整理されたタミヤのキットとは全く異なる2センチ機関砲。すごくたくさんのパーツの集積でこの形。
解像度の高さが楽しいキットだと思います。
まだ上下をくっつけていないので、車内を見て想像ふくらませられます。ドライバーになった気分で前方のぞいたり。
サフェイサーで様子見。
このろ次元的コードの整形が面倒で。
…なくてもいいんじゃない？とか思いました。
部品番号の小ささがなつかしのトライスター。
あっ、そうか。砲塔の金アミ骨組みもエッチング。
…これはもう作れないかも→技術が落ちてる。
作りかけキットを見るとき、キットもまた自分を見ている——。
もう車内精密再現キットは、工作楽しんだら途中で完成でいいんじゃないかと
いつまでも開けて見て楽しめます。
接着すると見えないから
展示会には持ってきづらいですが。
ええっ？ー
…素組すらしない？
…だれに頼まれた訳でもないのに、チマチマ工作しています。
足まわり。前もちょっと書きましたが、接着で固めなければ動きます。
焼きどめ
焼きどめ。
プラ棒切って、可動式に。

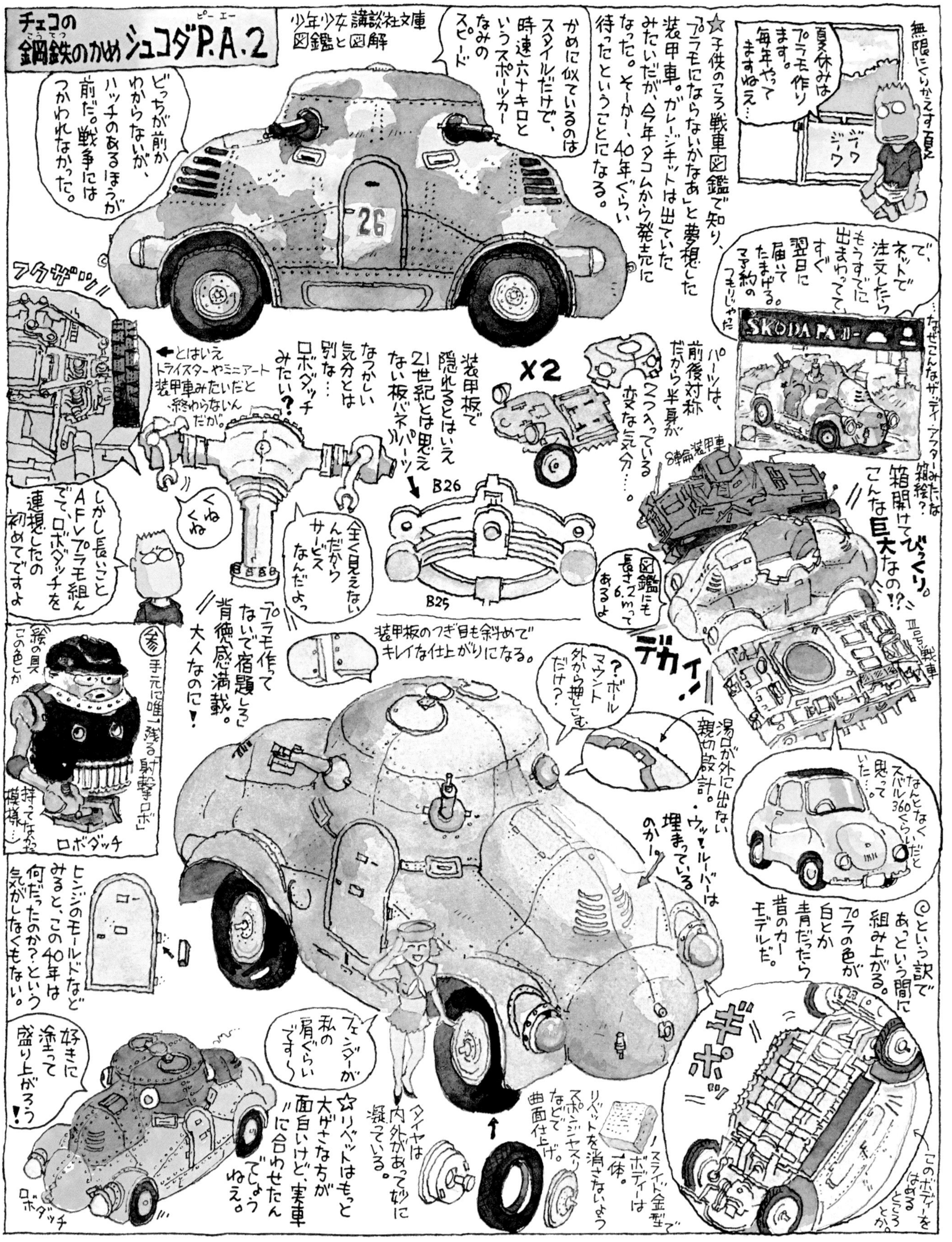
チェコの
鋼鉄《こうてつ》のかめ シュコダP.A.《ピーエー》2
少年少女講談社文庫 図鑑と図解
無限にくりかえす夏
夏休みはプラモ作ります。毎年やってますねえ…
ジワジワ
☆子供のころ戦車図鑑で知り、「プラモにならないかなあ」と夢想した装甲車。ガレージキットは出ていたみたいだが、今年タコムから発売になった。そーかー、40年ぐらい待ったということになる。
かめに似ているのはスタイルだけで、時速六十キロというスポーツカーなみのスピード
どっちが前かわからないが、ハッチのあるほうが前だ。戦争にはつかわれなかった。
26
で、ネットで注文したらもうすでに出まわってて、すぐ翌日に届いてたまげる。予約のつもりじゃった
…なぜこんなザ・デイ・アフターみたいな箱絵？
SKODA PA II
箱開けてびっくり。こんな巨大なの!?
8輪装甲車
III号戦車
フタガポッ
←とはいえトライスターやミニアートの装甲車みたいだと終わらないんだが。
装甲板で隠れるとはいえ21世紀とは思えない板バネパーツ
なつかしい気分とは別な…ロボダッチみたい？
B26
B25
X2
パーツは、前後対称だから半身が2つ入っている変な気分…。
くねくね
しかし長いことAFVプラモ組んでて、ロボダッチを連想したの初めてですよ
全く見えないんだからサービスなんだよっ
図鑑にも長さ6.2mってあるよ
デカイ!
「プラモ作ってないで宿題しろ」背徳感満載。大人なのに!
装甲板のつぎ目も斜めでキレイな仕上がりになる。
?ボールマウント外から押しこむだけ？
湯口が外に出ない親切設計。
・ウッ!ルーバーは埋まっているのか。
なんとなくスバル360くらいだと思っていた…。
参 手元に唯一残る「射撃ロボ」
絵の具この色しか持ってなかった模様…
ロボダッチ
@という訳であっという間に組み上がる。プラの色が白とか青だったら昔のカーモデルだ。
ヒンジのモールドなどみると、この40年は何だったのか？という気がしなくもない。
フェンダーが私の肩ぐらいです〜
ギポポッ
このボディーをはめるところとか。
好きに塗って盛り上がろう!
☆リベットはもっと大ゲさなちが面白いけど、実車に合わせたんでしょうねえ。
タイヤは内外があって妙に凝っている。
スライド金型でボディーは一体。
リベットを消さないようスポンジヤスリなどで曲面仕上げ。
ロボダッチ

【初出：月刊アーマーモデリング　2015年10月号、No.192】

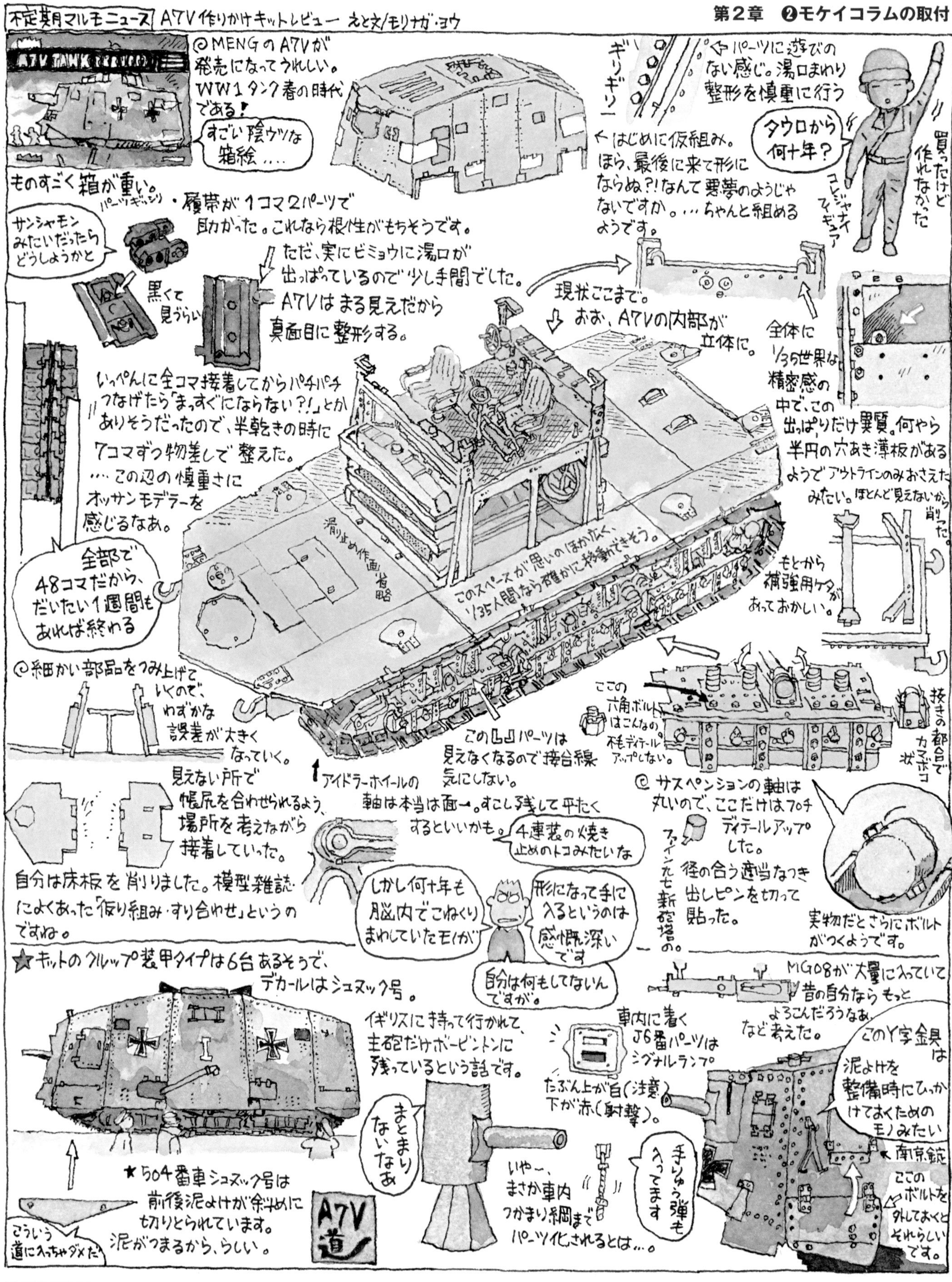
不定期マルモニュース
A7V作りかけキットレビュー　えと文/モリナガ・ヨウ
A7V TANK
@MENGのA7Vが発売になってうれしい。WW1タンク春の時代である！
すごい陰ウツな箱絵……
ものすごく箱が重い。
パーツギッシリ
・履帯が1コマ2パーツで助かった。これなら根性がもちそうです。
サンシャモンみたいだったらどうしようかと
黒くて見づらい
ただ、実にビミョウに湯口が出っぱっているので少し手間でした。A7Vはまる見えだから真面目に整形する。
いっぺんに全コマ接着してからパチパチつなげたら「まっすぐにならない？！」とかありそうだったので、半乾きの時に7コマずつ物差しで整えた。……この辺の慎重さにオッサンモデラーを感じるなあ。
全部で48コマだから、だいたい1週間もあれば終わる
ギリギリ―
パーツに遊びのない感じ。湯口まわり整形を慎重に行う
タウロから何十年？
買ったけど作れなかった
コレジャナイフィギュア
←はじめに仮組み。ほら、最後に来て形にならぬ？！なんて悪夢のようじゃないですか。…ちゃんと組めるようです。
現状ここまで。
おお、A7Vの内部が立体に。
全体に1/35世界な精密感の中で、この出ぱりだけ異質。何やら半円の穴あき薄板があるようでアウトラインのみおさえたみたい。ほとんど見えないから削った。
滑り止め作画省略
このスペースが思いのほか広く、1/35人間なら確かに移動できそう。
もとから補強用ケタがあっておかしい。
ここの六角ボルトはこんなの。
特にディテールアップしない。
抜きの都合でカマボコ状
@細かい部品をつみ上げていくので、わずかな誤差が大きくなっていく。
この「L」パーツは見えなくなるので接合線気にしない。
見えない所で帳尻を合わせられるよう、場所を考えながら接着していった。
アイドラーホイールの軸は本当は面→。すこし残して平たくするといいかも。
4連装の焼き止めのトコみたいな
自分は床板を削りました。模型雑誌によくあった「仮り組み・すり合わせ」というのですね。
しかし何十年も脳内でこねくりまわしていたモノが
形になって手に入るというのは感慨深いです
自分は何もしてないんですが。
@サスペンションの軸は丸いので、ここだけはプチディテールアップした。
ファインモールド九七式新砲塔の。
径の合う適当なつき出しピンを切って貼った。
実物だとさらにボルトがつくようです。
★キットのクルップ装甲タイプは6台あるそうで、デカールはシュヌック号。
イギリスに持って行かれて、主砲だけボービントンに残っているという話です。
まとまりないなあ
MG08が大量に入っていて昔の自分ならもっとよろこんだろうなあ、など考えた。
車内に着くJ6番パーツはシグナルランプ
たぶん上が白(注意)下が赤(射撃)。
このY字金具は泥よけを整備時にひっかけておくためのモノみたい
南京錠
ここのボルトを外しておくとそれらしいです。
★504番車シュヌック号は前後泥よけが斜めに切りとられています。泥がつまるから、らしい。
こういう道に入っちゃダメだ
A7V道
いや～、まさか車内つかまり綱までパーツ化されるとは…。
手りゅう弾も入ってます

不定期マルモニュース
Aアレプラモ迷宮
モリナガ
⇩Aアレつづき。その後もコツコツ組み立てています。
作りかけ
主砲の砲手席は軸線から左にズレていました。模型になると実によくわかる…。確かにドイツ戦車の始祖ですな。
バランスチェア的座席。
ムダ知識としてはマーク.Ⅳなどと違い照準口にフタがあること。
防盾のRに合わせた板が3枚あります。
ドイツ的こだわり。
ツマミ
ちょっと開けたい、大きく開けたい、というニーズにキメ細かく対応します～
こんな演出も理屈ではアリ
銃手席中段のアミが折れやすい。
弾薬箱のスライド金型仕上げが21世紀
今度はRöchlingタイプ(1st Lot)も出ないかしら。
ところで前回、タウロの箱絵を探そうと物入れあさったら
そのものズバリの在庫持ってました…
買いなおしたんだっけ？
昔のハコつぶしたはず…
N.101 Made in Italy
'80年絵は
そこでタウロですよ
吉祥寺怪人もかって購入しました
ドイツ戦車マニアとしては「持ってなければいけない」アイテムだったと思いませんか…？
就職して時間はないけどお金は入ってた若いとき…
Aアレのプラモですよ
1980年代なプラモでした。
@箱を開くとなんか独特なムード。
第一次世界大戦
フオオオ
陰気なグレー成形…
ありえない太さのランナー。
ビミョウなフィギュア
ヒレみたいなバリが。
戦車だから
気分が沈むというか……
？？
裏側が変なのは時代的に仕方ない。
ゴツくて切断を拒否する転輪パーツとか、
60コ
バネ
履帯はひとコマずつピンで止める。リアルなんですけど…。
モリナガはこれだけオブジェ仕事に流用
Lima non inclusa
File not included
同封の追加説明書。舶来のキットではあるんですが。
矢印とか数字とか
これも買っただけ
グレー成形だし。
ナウシカの王蟲！？プラモ
！
…なにかに似ているんですよねこのムード
なんかこうメカっぽくない主砲パーツ。
吉祥寺は全く組み立てず、箱ごと飾ってオシマイでした
あー、オマケの機関砲の有機的モールドも通じるモノがある。
ツクダホビー
30年以上前のプラモで何を？
組むヨロシ
…という訳でタウロのAアレは土鬼の砲台気分で
全体に生物っぽいんですな
組み立てた人は偉いな～
…その後結局売っちゃった
タウロ
マックス
☆勢い余ってMBの第一次大戦フィギュアも買ってます。インジェクションで8ツボタンや袖飾りが見られるとは。
あと、頭身が頭でっかちなのがいい感じ。身長も35倍して170前後でした。
WW1の記録写真のイメージに近いです
最近の人形はみなモデル体形・高身長で、感じが出ないんですよね。

【初出：月刊アーマーモデリング　2015年6月号、No.188】

不定期マルモニュース モリナガ
(a)ホイペットのプラモは大体形になりました。
履帯を装着すると意外に大きいです。いくつか思うことなど書きます。
はめこみ式のツメが、すり減りやすいのでバラバラになりがち。走らせて遊ぶのは難しいかなあ。
先日発見した泥除け装備用リングは無理に再現するサイズではない?
ここの分割線は本来ないが…目立たないでしょう。
マークⅣよりちょっと小さい
タミヤ
・吸気口のスリットは横のボルトもちゃんとモールドされているけれど、形が大人しい。実車写真を見るに六角ボルトでしっかり作られているようです。
ちょっと前だったら削り落とし六角ボルト植えかえたかも知れません…。
まぃいいか
機関銃は折れそうだから、最後にしよう…いつでしょう。
ドイツ戦車(WW2)の装甲スリーブつきのは整形が楽だった…。
補強板のリベット位置まちまちだ。
かなり背が高いですね。
プラモでサイズ実感する…。
見上げる位置からバリバリ銃撃してくる訳ですね。
こ、怖い。
(b)荷物はどうやって載せたか? 実車写真を見ると、戦闘室の上に天幕やらギュウギュウくくりつけられていました。
さて
たとえば第二次大戦ドイツ戦車なんかは
何十年もかけて模型の再現が進化したわけですけど
これは
わずかの時間で一気に解像度があがって不思議な気分です。
イモづけ
おお、実はラックが!
みたいな。
どうもヒモを引っかけられるようになってるみたいです。
プラモのパーツも、モールドに変化をつけてある。
・博物館にある現存車輌の写真をよく見ると、フックがあるようです。なるほど!
垂直のベロ部品にも丸い穴がいくつか
ボルト組みだから、フックの増設もたやすかったと考えられます。
・マークⅠやマークⅣは、屋根に四角い囲みを作って荷物を放り込んでいたことを考えると、こういった「フックの増設」はひとつの進化と言えましょう。
ひきつづき新製品。マークⅤ買いました。
なんという箱の高さだろう!
内部再現 モンモデル。
戦車
プラモ箱って、横方向の巨大化に慣れていました…。
届いてびっくり、過去にない深いハコだ! キッチリタミヤマークⅣ 2つ分!?
なんじゃこりゃ!
床に置いておくと足をひっかけるぞ。
ファモ&トレーラー
・大変な量のランナーで、箱が閉じませぬ。
あ、あ
無印良品の衣装ケースみたいな。
・まだ封を切ってませんが、パーツ状態でドキドキしてます。
D4
D34
組みたて説明書も映画のパンフみたいだよ
おお、転輪にオイルを回すタンクが車内に装備されているの再現!(工作できるかは別問題)
運転席横の水タンクにパイプがついていたのかー!
ゆるゆる作ります
・先月号でザロガ先生の「デビッド・フレッチャー先生と話しあったが当時のタンクの色はわからん」という記事が印象深い。2人がわからんのなら、わからん。

200号に思う・えと文/モリナガ・ヨウ▶そういえばもう18年も経っている

祝200
★先日編集部に行きまして、奥にある模型ブース見てきました。会議室の一角。
創刊当初を思い出す雰囲気です。
創刊1年目から
…なにがなんだかわかりません
これボクが作ったんですよ
そうなんですか
へー
編集長（同期）
ラッカー
アクリル
ブラインド
ナゾのビンいっぱい
さて 最近はテクノロジーの進化を感じることが多いです。「3Dスキャンした人形」って、20年前だったら意味わかりません。デジタルな未来です。
この辺のシワ素敵。
・吉祥寺怪人から写真が届いたら
LEに乗ってファ被りました
六角ボルト
ズーーム
ほとんど無意識
指で拡大してディテール見られるなんて
昔の文林堂なんかの不鮮明な写真を心眼で見る、のと違いますねえ。
★とはいえ、模型の「そこにある」感は、何物にもかえ難いのですが。プラモを組み立てていると時間を忘れがちです。入力作業とも出力作業とも異なる「工作」だからかしらん？
実在アナログ
うおっ暗くなっとる。
・ニッパーの先のトガリが（安全上？）なくなったり、乱視・老眼進んで少し前みたく裸眼作業がキビしくなりましたが。
プラモと戯れる時間がとれると、進むAFV。あとは運転室のカベだ！
身体に染みついた技術はどこにもいかないな銃口開け。
デザインナイフでちくちくっと
持ち上げると履帯がたれ下がって、いいぞ！リアルっぽい
『35分の1迷宮』で「Aクレプラモ出して」と書いていたことを思うと隔世の感があります。
作業的には@もう新しい技法など追い切れず、もはや「昔ながら」な感じです。タミヤの速乾タイプは、久々の新兵器。
流し込みタイプは大好き。
こぼしても乾く。
★中学生時代、スポーツ苦手で、プラモやマンガに走った訳ですけど、こうして現在につながってくると不思議な気分です。
……あんまり細かいと、作れないけどっ。
もう
自分も自分も
ハンドボール投げ
1-A
という訳で200号おめでとうございます。
こういう場としてアーマーモデリングがなかったら、その後の人生全く違ったモノになったでしょう。また、WW1タンク記事を10年以上続けられるなんてヨソでは考えられませぬ。編集部と読者様、
これからもよろしくおねがいします。感謝～
ⓒ2016.4

【初出：月刊アーマーモデリング　2016年6月号、No.200】

1「完成させなければほぼ一生遊べるのがプラモデルのよいところ」というモリナガさんのつぶやきを耳にしたとき、じつに秀逸だなぁとうなった。トライスター製Sd.Kfz.222は本書第１集の25、44頁に登場、2010年にすでにある程度組み立ててあった。
2トライスター製38(t)戦車は2007年の作だが、とっておくだけでタミヤ最新作と並べて感慨にふけることができるのだ。
345名著『図解絵本 東京スカイツリー』（ポプラ社）をはじめトラス構造物に縁が深い著者。そのせいなのか執念ともいえる工作で門型クレーンを完成させている（54～56頁参照）。（吉）

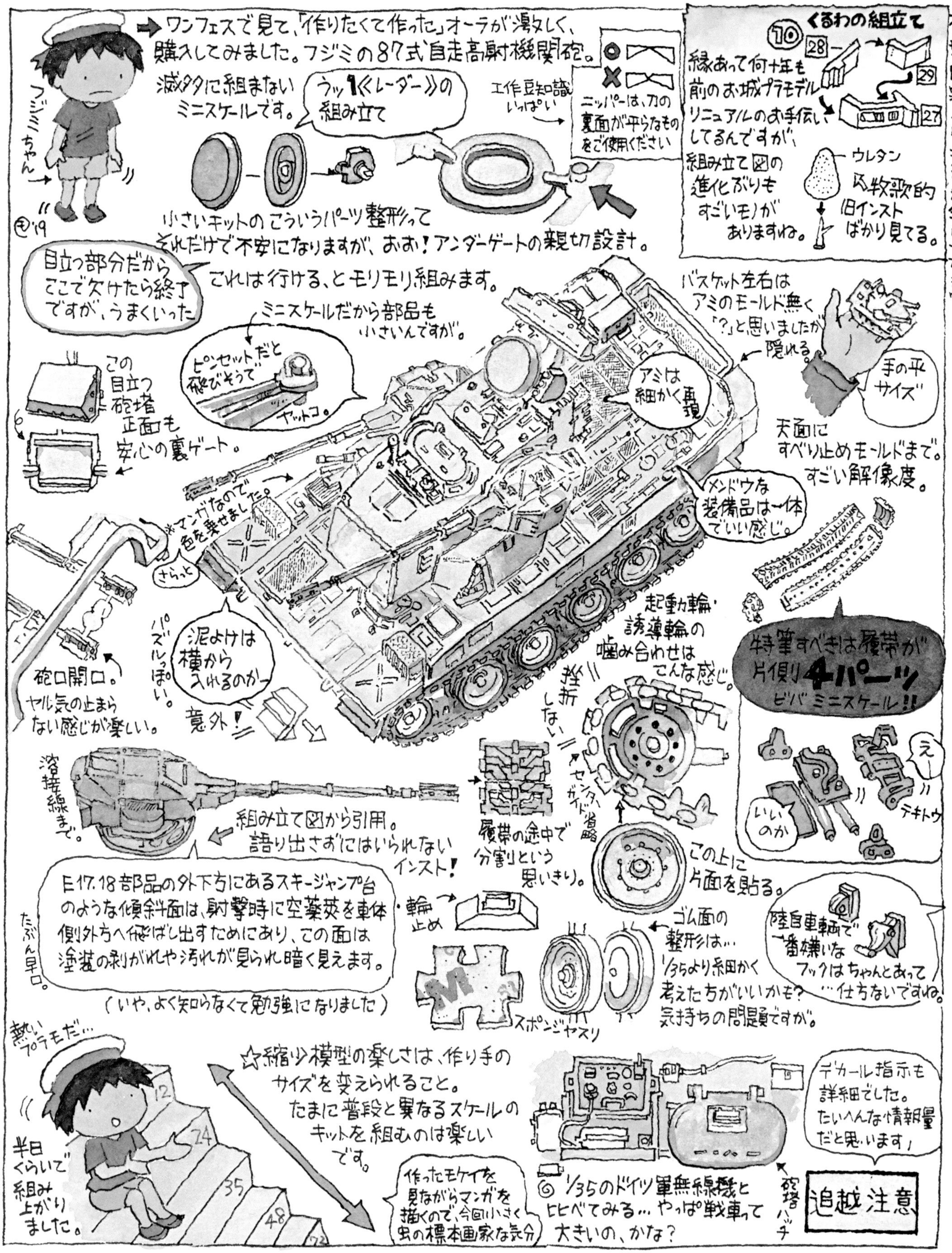

模型的寝言・えと文 モリナガ・ヨウ
フジミちゃん
ワンフェスで見て、「作りたくて作った」オーラが激しく、購入してみました。フジミの87式自走高射機関砲。
滅多に組まないミニスケールです。
うッ!《レーダー》の組み立て
工作豆知識いっぱい
ニッパーは、刃の裏面が平らなものをご使用ください
小さいキットのこういうパーツ整形ってそれだけで不安になりますが、おお!アンダーゲートの親切設計。
⑩ くるわの組立て
28
29
27
縁あって何十年も前のお城プラモデルリニューアルのお手伝いしてるんですが、組み立て図の進化ぶりもすごいモノがありますね。
ウレタン
牧歌的旧インストばかり見てる。
©'19
目立つ部分だからここで欠けたら終了ですが、うまくいった
これは行ける、とモリモリ組みます。
ミニスケールだから部品も小さいんですが。
ピンセットだと飛びそうで
ヤットコ。
この目立つ砲塔正面も安心の裏ゲート。
アミは細かく再現
バスケット左右はアミのモールド無く「?」と思いましたが隠れる。
手の平サイズ
天面にすべり止めモールドまで。すごい解像度。
メンドウな装備品は一体でいい感じ。
※マンガなので色を乗せました。
さらっと
パズルっぽい。
泥よけは横から入れるのか—
意外!
砲口開口。ヤル気の止まらない感じが楽しい。
起動輪・誘導輪の噛み合わせはこんな感じ。
挫折しない
特筆すべきは履帯が片側4パーツ ビバ ミニスケール!!
え
いいのか
テキトウ
センターガイド省略
溶接線まで。
組み立て図から引用。語り出さずにはいられないインスト!
履帯の途中で分割という思いきり。
この上に片面を貼る。
E17.18部品の外下方にあるスキージャンプ台のような傾斜面は、射撃時に空薬莢を車体側外方へ飛ばし出すためにあり、この面は塗装の剥がれや汚れが見られ暗く見えます。
(いや、よく知らなくて勉強になりました)
たぶん早口。
輪止め
ゴム面の整形は…1/35より細かく考えた方がいいかも?気持ちの問題ですが。
スポンジヤスリ
陸自車輌で一番嫌いなフックはちゃんとあって…仕方ないですね。
熱いプラモだ…
☆縮小模型の楽しさは、作り手のサイズを変えられること。たまに普段と異なるスケールのキットを組むのは楽しいです。
半日くらいで組み上がりました。
12
24
35
48
72
作ったモケイを見ながらマンガを描くので、今回小さく虫の標本画家な気分
デカール指示も詳細でした。たいへんな情報量だと思います!
⑥ 1/35のドイツ軍無線機と比べてみる…やっぱ戦車って大きいの、かな?
砲塔ハッチ
追越注意

【初出：月刊アーマーモデリング　2019年4月号、No.234】

夏のピンナップガールズ祭り
戦車プラモオヤジの知らない世界㊦
先日発売になった「ピンナップガールズ」を組み立ててみた。
知らないことばっかりだ!!
㊟長年35人形を作ってきましたが、これは新しい世界の扉が開いた感じ?
髪が
胸が別パーツ
←裸足
㊟オートバイセットのゴーグル
☆一人ザザッと塗ってみたけど(数年ぶり)うまくいかないな。
指の細かい芝居が実にいい感じ。
なにより顔がいい。
真面目に取り組まないとちゃんとできないぞ!?
↑クチビルも正中線からの山がちゃんと。
現在の人間がコスプレしてるんじゃなく、ちゃんと昔のLIFEなんかの頃の雰囲気が出ています。
これは黒パンっていうんだよ
中一
帰宅ムスメを駆り出す。
…ホットパンツのパーティングライン どうしたらいい?
女子フィギュアは、スケール関係なく「お人形さん」ち法論かしら?
ヒラヒラ別パーツ
肌の仕上げが大切
→ボクサー氏の言ってた「みがき作業」理解
という訳でパテだの白サフだの動員。細切りスポンジヤスリをピンセットで使う!
何より衝撃 いつもの感じでサスペンダー掘り込み…
いかん! 下は肉だ!
ゴリゴリ
どの人形から組み始めるかでキャラが出るわね【適当】
修業しておくのだった。
こんなことならサスペンダードイツ兵で
箱絵よりエスカレートしていた。
『愛の嵐』化ね
陸軍タイプ姉さんはガッシリタイプ。
あみあげクツは男のでも大変
アンダーバストの処理とかどう見極めるのか?
首のつけ根のトコの整形が難しかった。段差が。
何より衝撃② ほら、ブーツのカカトに真ちゅう線ドーン だったじゃないですか。…ええ?ハイヒールの人形どうやって立たせるの?
☆色塗りも戦場で「目を細めるな」シェパードペイン塗りからの脱却を考えさせられる。
ヒゲは緑
キューポラ
上まぶたと下まぶたから攻めて行って、ちょうどいい所で止める、というような。
あとゴールが難しい。拡大鏡などで無限にデカくしていったら終わらないよ?
×2で止めている。
デジカメも考えものだ。
昔は5センチくらいの写真を横に置いて塗っていた。目で見えないトコは塗らない。
☆リアル美人はわずかな凹凸の変化で残念になるので、余計なことしないで原型に従った方がかと。㊡
顕微鏡必須の極小展示会みたいになってもなあ。
目が悪くなってストッパーがなくなってかえってなったみたい。
…タレント? ピンナップガールだし。
自然じゃん
というより、
・戦場野原ねえちゃんと
レフ板
くちべにってどう塗ったらいいのか?
私を座らせるバーレーのプラモも買ってね♪
色塗り途中までできた。
わずかな肉のはみ出しがリアル。
すでに出っぱった所がハゲてる
★…と、美少女フィギュア界などでは常識なコトかも知れません。
教援願

【初出：月刊アーマーモデリング　2015年9月号、No.191】
★女性フィギュアの仕上げ指南書『知っておきたい 女性フィギュアのはじめかた』（小社刊）も発売されました。（モ）

不定期マルモニュース
人形な寝言16
モリナガ・ヨウ
MOEMOE MILITARY
SENMU
⇦何年か前に、海洋堂センムさん達とこんな企画を考えました。タミヤポーズの。WTMキットの箱絵用に朋未さんがドイツ戦車兵の格好をした時に
こうですか
タミヤのIV号H型(旧)車長のポーズをしてもらい
もうちょい、背をのばして
手はキューポラつかんでる感じで
おおお
ありがたや
たいへんに有難く。センムコレクションを女子に着せる大会？みたいなのもあったのですが、なかなか芝居が難しい。
こう？
こうロシヤの大地は寸土とも渡さんな？
地平線の先を見て
手はぐぐっと。
→真似するのが大変な歩兵セット④人形。
腰をいためそうだ
機関銃チームの双眼鏡手
パーツと距離が近かったのかも知れません。
↑歩兵セットはムカシすぎるかも。
37ミリ砲双眼鏡はもう少しキャシャな感じ。
M113の突撃すアメリカ兵なんかはパっとできません。
世代的なモノなんでしょうか？
皆さんどうですか？
⇩模型オヤジはずっとタミヤの人形ポーズから逃れられないんだ、と痛感しました。
II号戦車の歩兵達の体重移動なんてみんなできると
思うんですよ。
プラモ作ってない人には真似が難しいみたい
突撃セットは言うにおよばず。
コンパチ
母数が少なかったからか、子供だったから記憶に刷り込まれたのか？パーツ見ただけで、語れる、というのは他にたとえられるモノがないですね。
なじみの人形がいると何だか安心する、というのは伝統芸能というか…一緒に人生を歩んだ感なのかなあ？
記事を書くためフィギュアのパーツ箱を久々に開けましたが、最近のモノは何だかわからずショック。
…これはたぶんコートが
⇦上につく。
ドラゴン系？
35分の1世界のフィギュア住人たちがものすごい人数になった、とも言えましょう。
ミニアートのMP
あっ、ドラゴンの将校なんか出てきた。
エポキシパテで肩章自作。
エリ章をどうやっていいかわからず放置中。
作りかけ
タミヤの人形から勲章。やたら着ていた。
紙かしら？
クツにかかと標準モールド。下半身が2パーツ主流になりましたね。
★一体一体の完成度を上げていくと昔みたいに「ポーズ無限」が難しくなるようです。SU-76Mの良くできた兵士の分割を見るとそう思います。
あと、3Dスキャン兵は手が小さめですね。これがリアルなんでしょうけど。
完成すると顔がかくれるぞ
☆一点モノ感の強い3Dフィギュアは、
知ってる人は知ってる「この人、プーチンに似てる」
プーチンくん。
今年の、WW1モノ以外の戦車プラモ
今までの「プラモ世界」とまた違う未来な気がしています。
さて、上の女の子人形ですが、自分が調子に乗って
ブルムベア子
ぽちゃ子のラフを大量に送ったら急速にウヤムヤになっちゃった。
えー
ハッチにははまらない
続報あるのか？
モ

【初出：月刊アーマーモデリング　2016年12月号、No.206】
★前後しますが、これが《ブルムベア子》初登場かも。（モ）

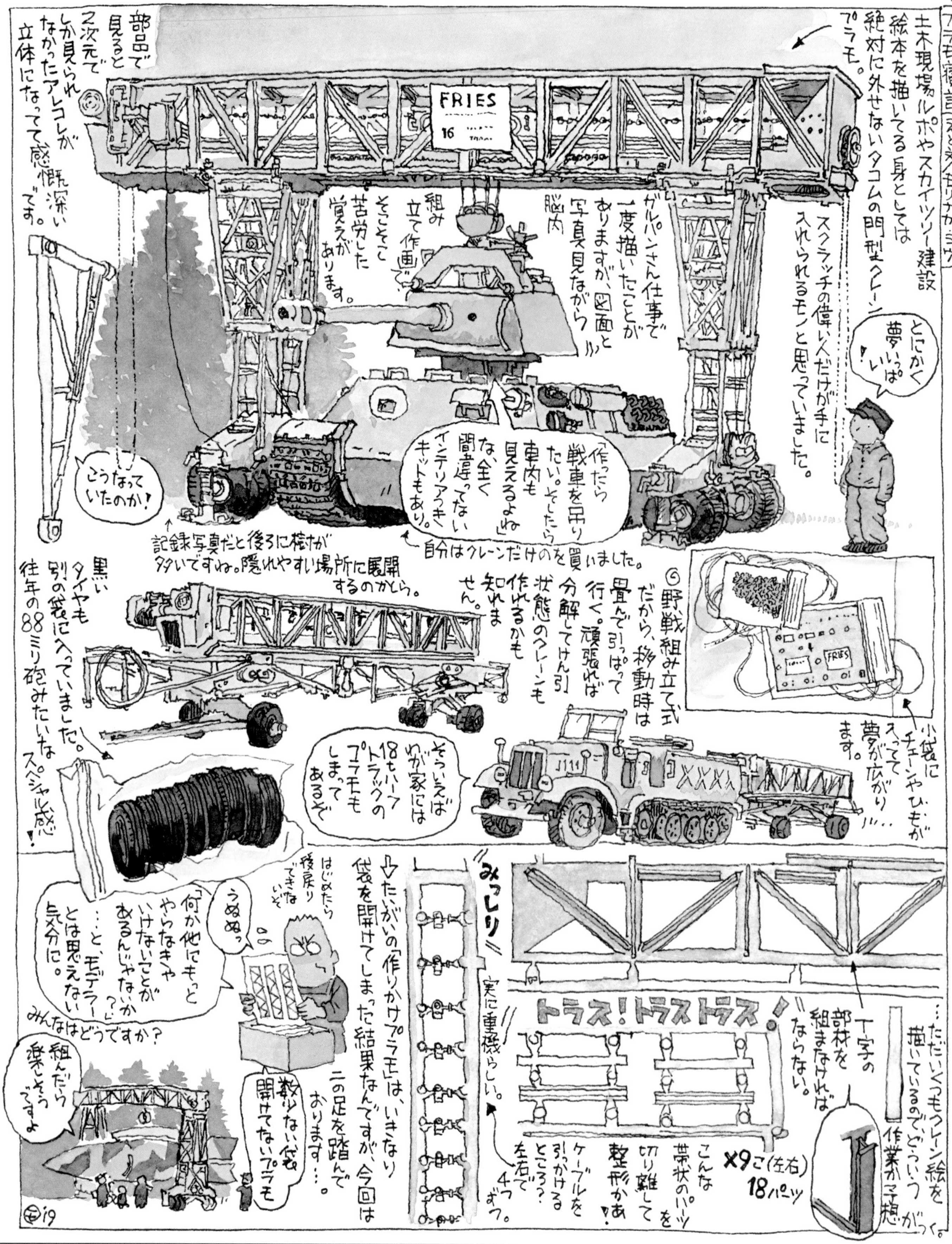
プラモ寝言
えと文／モリナガ・ヨウ
土木現場ルポやスカイツリー建設絵本を描いてる身としては絶対に外せないタコムの門型クレーンプラモ。
スクラッチの偉い人だけが手に入れられるモノと思っていました。
とにかく夢いっぱい！
FRIES
16
ガルパンさん仕事で一度描いたことがありますが、図面と写真見ながら脳内
組み立て作画で、そこそこ苦労した覚えがあります。
部品で見ると2次元でしか見られなかったアレコレが立体になってて感慨深いです。
「作ったら戦車を吊りたい。そしたら車内も見えるよね」な、全く間違ってないインテリアつきキットもあり。
こうなっていたのか！
記録写真だと後ろに樹が多いですね。隠れやすい場所に展開するのかしら。
自分はクレーンだけのを買いました。
野戦組み立て式だから、移動時は畳んで引っぱって行く。頑張ればけん引状態のクレーンも作れるかも知れません。
小袋にチェーンやひもが入ってて夢が広がります……
黒いタイヤも別の袋に入っていました。往年の88ミリ砲みたいなスペシャル感！
そういえばわが家には18tハーフトラックのプラモもしまってあるぞ
たいがいの「作りかけプラモ」は、いきなり袋を開けてしまった結果なんですが、今回は二の足を踏んでおります…。
はじめたら後戻りできないぞ
うぬぬっ
「何か他にもっとやらなきゃいけないことがあるんじゃないか？」…と、モデラーとは思えない気分に。
みんなはどうですか？
組んだら楽しそうですよ
数少ない袋を開けてないプラモ
〃みっしり〃
〃実に重機らしい。
左右で4つずつ。
ケーブルを引っかけるところ？
こんな帯状のパーツを切り離して整形かあ！
×9こ(左右)
18パーツ
トラス！トラストラス！
〃T字の部材を組まなければならない。
…ただいくつもクレーン絵を描いているので、どういう作業が予想がつく。
©19

【初出：月刊アーマーモデリング　2019年3月号、No.233】

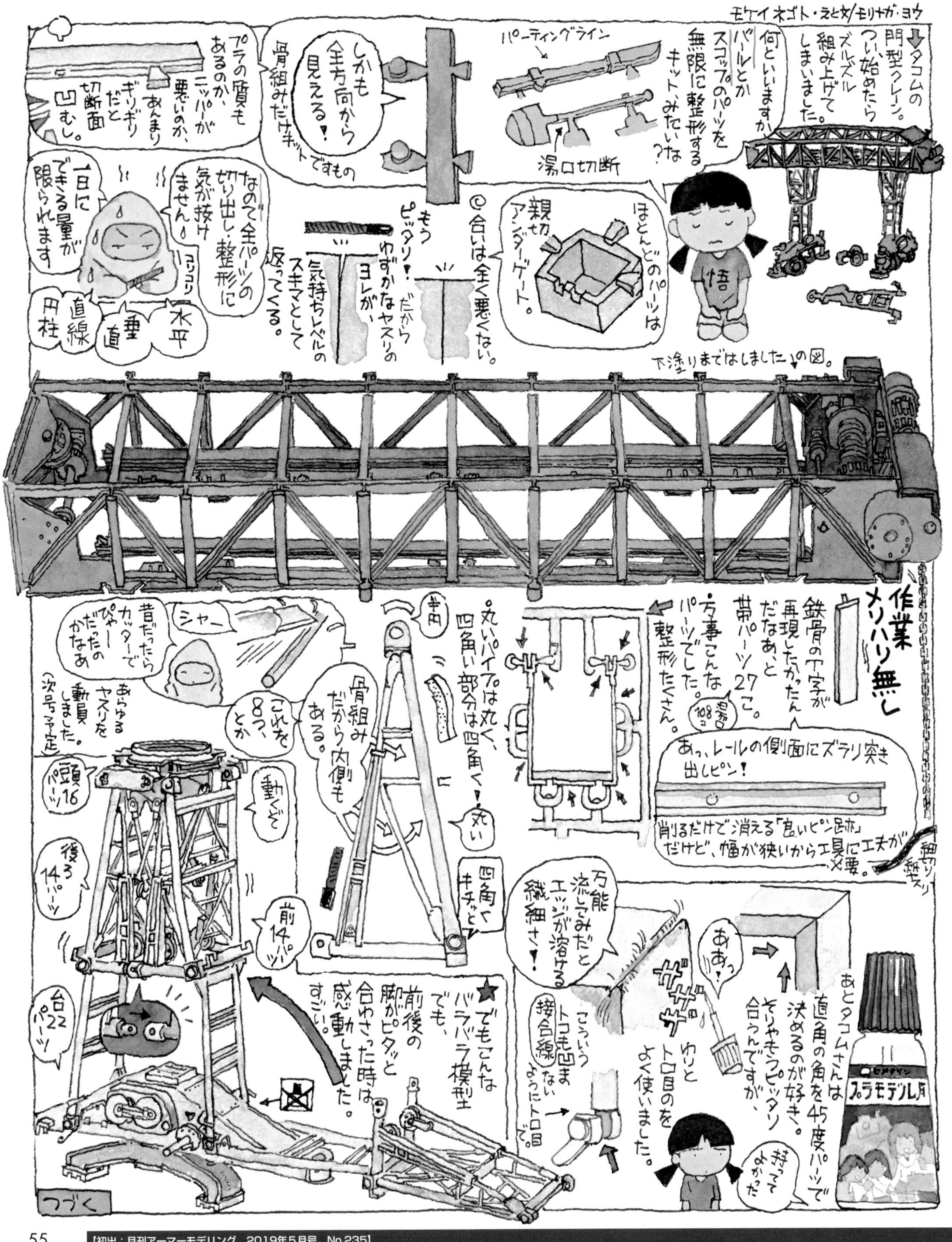
モケイネゴト・えと文/モリナガ・ヨウ
↓タコムの門型クレーン。つい始めたらズルズル組み上げてしまいました。
何といいますか、バールとかスコップのパーツを無限に整形するキット、みたいな？
パーティングライン
湯口切断
しかも全方向から見える！
骨組みだけキットですもの
プラの質もあるのか、ニッパーが悪いのか、あんまりギリギリだと切断面凹むし。
ほとんどのパーツは親切アンダーゲート。
©合いは全く悪くない。
もうピッタリ！だからわずかなヤスリのヨレが、気持ちレベルのスキマとして返ってくる。
なので全パーツの切り出し・整形に気が抜けません。
コリコリ
一日にできる量が限られます
水平
垂直
直線
円柱
下塗りまではしました↓の図。
作業メリハリ無し
鉄骨のT字が再現したかったんだなあ、と
帯パーツ27こ。
108ヶ所
・万事こんなパーツでした。整形たくさん。
あっ、レールの側面にズラリ突き出しピン！
削るだけで消える「良いピン跡」だけど、幅が狭いから工具に工夫が必要。
細切りヤスリ
・丸いパイプは丸く、四角い部分は四角く！
半円
丸い
四角くキチッと
骨組みだから内側もある。
これを8つ、とか
シャー
昔だったらカッターでぴゃーだったのかなあ
あらゆるヤスリを動員しました。（次号予定）
頭16パーツ
動くぞ
後ろ14パーツ
前14パーツ
台22パーツ
★でもこんなバラバラ模型でも、前後の脚がピタッと合わさった時は感動しました。すごい。
万能流してみたとエッジが溶ける繊細さ！
ああっ！
ザザザ
こういうトコも凹まないように、接合線ないトロ目で。
あとタコムさんは直角の角を45度パーツで決めるのが好き。そりゃきっとピッタリ合うんですが、
ゆりとトロ目のをよく使いました。
持っててよかった
セメダイン
プラモデル用
つづく

【初出：月刊アーマーモデリング　2019年5月号、No.235】
★セメダインの《ガルパンびん》はもう手にはいらないようです。（モ）

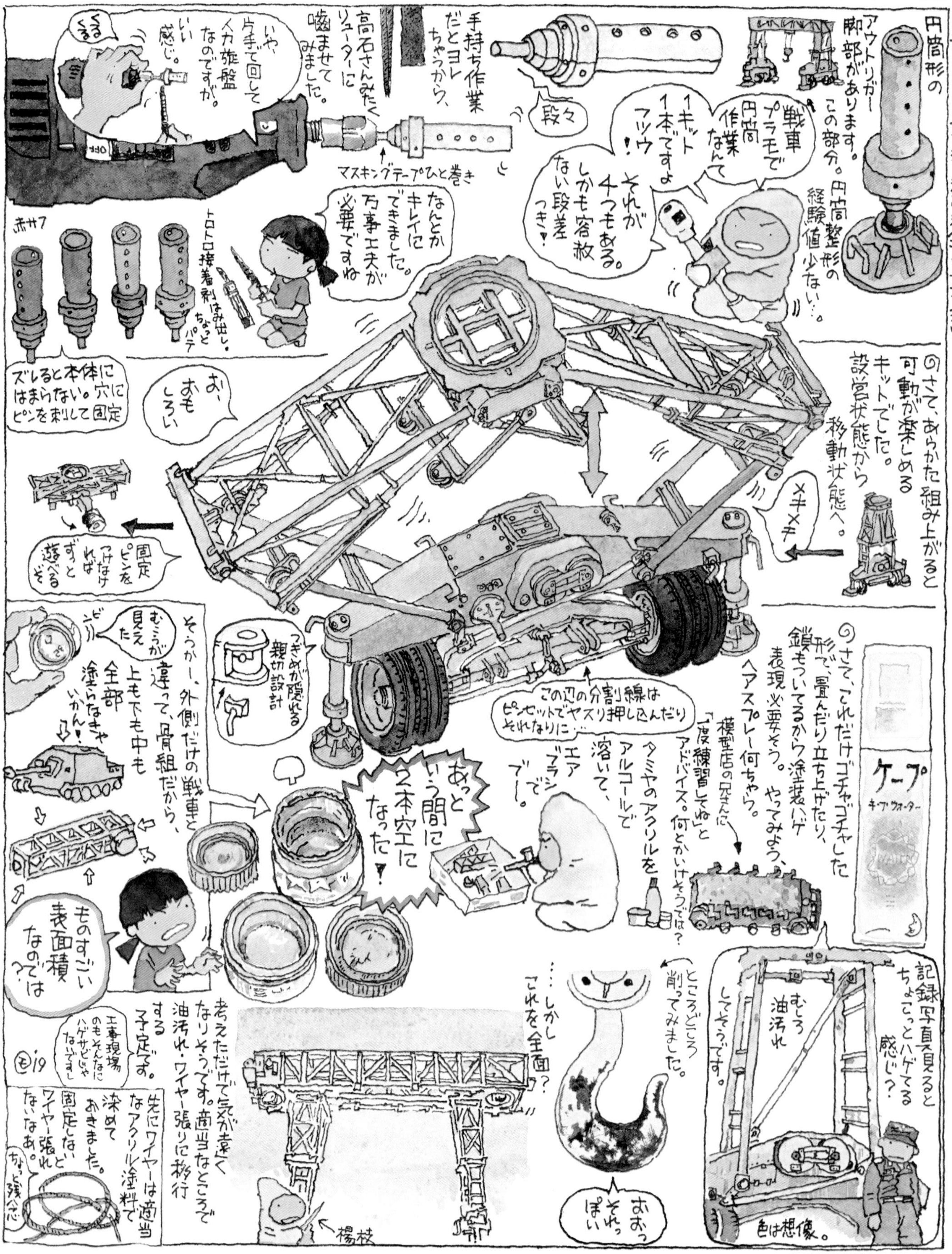
門型クレーン つづき　え と 文／モリナガ・ヨウ
円筒形のアウトリガー脚部があります。この部分。円筒整形の経験値少ない…。
戦車プラモで円筒作業なんて
1キット1本ですよフツウ！
それが4つもある。しかも容赦ない段差つき！
段々
手持ち作業だとヨレちゃうから、
高石さんみたくリューターに噛ませてみました。
いや、片手で回して人力旋盤なのですが。いい感じ。
くるくる
マスキングテープひと巻き
赤サフ
トロトロ接着剤はみ出し。ちょっとパテ
なんとかキレイにできました。万事工夫が必要ですね
ズレると本体にはまらない。穴にピンを刺して固定
お、おもしろい
のさて、あらかた組み上がると可動が楽しめるキットでした。設営状態から移動状態へ。
メキメキ
固定ピンをつけなければずっと遊べるぞ
むこうが見えた
ビーン
そうかし、外側だけの戦車と違って、骨組だから、上も下も中も全部塗らなきゃいかん！
ものすごい表面積なのでは？？
つぎめが隠れる親切設計
この辺の分割線はピンセットでヤスリ押し込んだりそれなりに…
あっという間に2本空になった！
タミヤのアクリルをアルコールで溶いて、エアブラシででー。
のさて、これだけゴチャゴチャした形で、畳んだり立ち上げたり、鎖もついてるから塗装ハゲ表現必要そう。やってみよう、ヘアスプレー何ちゃら。
模型店の兄さんに「一度練習してね」とアドバイス。何とかいけそうでは？
ケープ
キープウォーター
記録写真見るとちょこっとハゲてる感じ？
むしろ油汚れしてそうです。
色は想像。
ところどころ削ってみました。
おおっそれっぽい
…しかしこれを全面？
考えただけで気が遠くなりそうです。適当なところで油汚れ・ワイヤー張りに移行する予定です。
工事現場のもそんなにハゲサビじゃないですし
Ⓜ19
先にワイヤーは適当なアクリル塗料で染めておきました。
固定しないとワイヤー張れないなあ。
ちょっと残念
楊枝

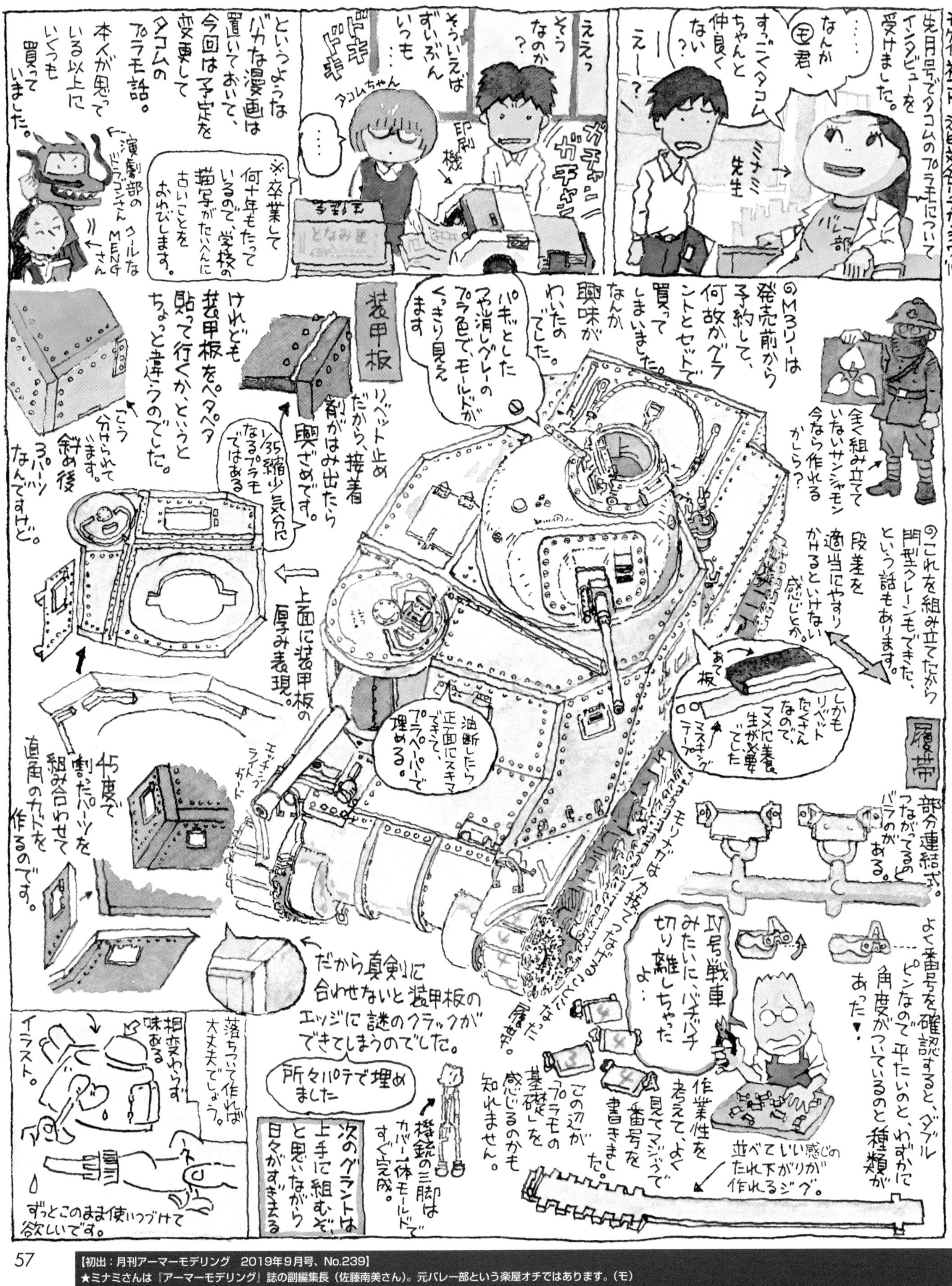
モケイ ネゴト えと文 モリナガ・ヨウ '19
先月号でタコムのプラモについてインタビューを受けました。
……なんかⓂ君、
すっごくタコムちゃんと仲良くない？
えー？
ミナミ先生
バレー部
ええっそうなのか？
そういえばずいぶんいっも……
ドキドキ
ガチャンガチャン
印刷機
タコムちゃん
……
となみ
※卒業して何十年もたっているので、学校の描写がたいへんに古いことをおわびします。
というようなバカな漫画は置いておいて、今回は予定を変更してタコムのプラモ話。
本人が思っている以上にいくつも買っていました。
演劇部のドラゴンさん
クールなMENGさん
のM3リーは発売前から予約して、何故かグラントとセットで買ってしまいました。
なんか興味がわいたのでした。
パキッとしたつや消しグレーのプラ色で、モールドがくっきり見えます
装甲板
リベット止めだから、接着剤がはみ出たら興ざめです。
1/35縮少気分になるプラモではある
けれども装甲板をペタペタ貼って行くか、というとちょっと違うのでした。
こう分けられています。
斜め後3パーツなんですけど。
上面に装甲板の厚み表現。
全く組み立てていないサンシャモン今なら作れるかしら？
のこれを組み立てたから門型クレーンもできた、という話もあります。
段差を適当にやすりかけるといけない感じとか。
あて板
しかもリベットたくさんなので、マメに養生が必要でした
マスキングテープ
油断したら正面にスキマできて、プラペーパーで埋める。
エッチングライトガード
45度で割ったパーツを組み合わせて直角のカドを作るのです。
だから真剣に合わせないと装甲板のエッジに謎のクラックができてしまうのでした。
所々パテで埋めました
モリナガは1カ抜でつなげることになった履帯。
履帯 部分連結式。
つながってるのとバラのがある。
よく番号を確認すると、ダブルピンなので平たいのと、わずかに角度がついているのと種類があった▼。
Ⅳ号戦車みたいに、バチバチ切り離しちゃったよ……
作業性を考えて、よく見てマジックで番号を書きました。
この辺が「プラモの基礎」を感じるのかも知れません。
並べていい感じのたれ下がりが作れるジグ。
機銃の三脚はカバー一体モールドですぐ完成。
次のグラントは上手に組むぞ、と思いながら日々がすぎ去る
落ちついて作れば大丈夫でしょう。
相変わらず味あるイラスト。
ずっとこのまま使いつづけて欲しいです。

【初出：月刊アーマーモデリング　2019年9月号、No.239】
★ミナミさんは『アーマーモデリング』誌の副編集長（佐藤南美さん）。元バレー部という楽屋オチではあります。（モ）

不定期マルモニュース・モリナガ・ヨウ
⇒タミヤからブルムベアの後期型が出るそうで、お題はブルムベアあれこれ？。
スクラッチ昔話は前に記事にしました
↑(35迷宮)
ブルーム
昔からタミヤのプラモだったのは中期型。ストームタイガーに比べるとまだ冷静なムード。
ストーム
15センチ砲をムリヤリ載せた自走砲はどれも妙な味わいがあります。ブルムベアもその例に漏れません。
すごい威力らしいぞ
後期型は車幅いっぱいの戦闘室で迫力が増してますね〜
ブルムベア子
移動トーチカっていうと防御用っぽいが、攻めの突撃戦車です。
近代的攻城砲という理解でいいのかな？
アバディーン塗装→
コーティングがわずかに残るのに注意。
で、今まで記事で触れる機会のなかった、トライスターというメーカーのブルムベアについて書きます。
久々に物置きから出したら、箱の接着剤がダメになっている▼。
2008年
IV号戦車の車台に、ぶ厚い装甲の戦闘室載せたから重すぎでサスペンションが入たっているはず、という視点に感動しました。
ずっしリ
装甲板の厚みを出すため、前面のはプラを7枚貼る！
前面100ミリ
側面60ミリ
元々IV号の18トン用シャーシが全部で28トンを支えるとな
そして本物みたいに組み合わせて戦闘室を再現していく。
ワクワクするぞ
さあ、気になる板バネはどうなっているのかな？
ずっしリ
タスカのファイアフライもノーズヘビー感を出せるようになっていました。
戦車は重いんだよっ
中に仕込む発泡ゴムシートの枚数で、サスペンションの沈み込みを再現できる。(自分はやりすぎナナメに)
飽くなきディテールアップ。なころのプラモで、ピストルポートの紛失防止チェーンまで入っていました。
タグロープも金属製。
普通はまっすぐなんだが、前4つが重さで反ってる
…ここで興味の80%ぐらい使ってしまった感じ。
これが見たかった！
いや、これを見るためにたいへんに分割されたサスを組みたてなきゃならぬ…
夢のような精密プラモではありましたが、とにかく工程多すぎ…
でも可動するよ
左右8組、転輪32コ作ろう
ダンパーもちゃんと丸くするため別パーツ
コンチネンタルな刻印まで
CONTINENTAL
転輪もゴム部と別パーツ。
前から見た重なる板バネも再現！
見えない
もう売ってないみたいですねトライスター。
ユートピアを目指したものの、凡人には遠かったです
それでも手元には置いておきたいプラモでべす
Ⓜ17

郵便はがき

おそれいりますが切手をお貼りください

101-0054

東京都千代田区神田錦町
1丁目7番地　㈱大日本絵画
読者サービス係行

アンケートにご協力ください

フリガナ　　　　　　　　　　　　年齢
お名前　　　　　　　　　　　　　(男・女)

〒
ご住所

TEL　(　　)
FAX　(　　)

e-mailアドレス（メールにてご案内を差し上げてよい場合にご記入下さい）

ご職業	1学生	2会社員	3公務員	4自営業
	5自由業	6主婦	7無職	8その他

愛読雑誌

このはがきを愛読者名簿に登録された読者様には新刊案内等お役にたつご案内を差し上げることがあります。愛読者名簿に登録してよろしいでしょうか。

□はい　　□いいえ

モリナガ・ヨウのプラモ迷宮日記
第3集　[フラットレッドの巻]

9784499232883

「モリナガ・ヨウのプラモ迷宮日記　第3集［フラットレッドの巻］」アンケート

お買い上げいただき、ありがとうございました。今後の編集資料にさせていただきますので、下記の設問にお答えいただければ幸いです。ご協力をお願いいたします。なお、ご記入いただいたデータは編集の資料以外には使用いたしません。

①この本をお買い求めになったのはいつ頃ですか？

年　　月　　日頃（通学・通勤の途中・お昼休み・休日）に

②この本をお求めになった書店は？

（市・町・区）　　書店

③購入方法は？

1書店にて（平積・棚差し）　2書店で注文　3直接（通信販売）

注文でお買い上げのお客様へ　入手までの日数（　　日）

④この本をお知りになったきっかけは？

1書店店頭で　2新聞雑誌広告で（新聞雑誌名　　）

3モデルグラフィックスを見て　4アーマーモデリングを見て

5スケール アヴィエーションを見て

6記事・書評で（　　）

7その他（　　）

⑤この本をお求めになった動機は？

1テーマに興味があったので　2タイトルにひかれて

3装丁にひかれて　4著者にひかれて　5帯にひかれて

6内容紹介にひかれて　7広告・書評にひかれて

8その他（　　）

この本をお読みになった感想や著者・訳者へのご意見をどうぞ！

●ご記入の感想等を、書籍のPR等につかわせていただいてもよろしいですか？

□ 実名で可　□ 匿名で可　□ 許可しない

ご協力ありがとうございました。抽選で図書カードを毎月20名様に贈呈いたします。なお、当選者の発表は賞品の発送をもってかえさせていただきます。

モケイネゴト・えと文／モリナガ・ヨウ
タミヤから38(t)が出るそうです。
…なので久々に手持ちのトライスター38(t)を引っぱり出してみました。アーマーの2007年記事にちらっと描いたのがストックのようです。箱には夢と涙がいっぱい詰まっていました。
涙
ああっ！・開いたハッチに座らせようと、何かの戦車兵下半身が入れてある。これもトライスター系かしら？
キットは精密。これでもか的完全再現を目指している感じ。
プラスチックはそんなに古びていません。
昔のみたいですが…エッチングパーツに12年の歳月が。
なんか酸化してる
でもこのひし型プレートはエッチングにしたい気持ちはよくわかる
そうだ、この座型エッチングにザセツした。
PE11
PE11
ジャッキ
・精密パーツいっぱい。
フェンダーの端は薄く削るのだ！
このいかにも折れそうな操縦手照準棒は切ってもいなかった
ちゃんと輪の中に小さなツノが見える気がします。
転輪もサスペンションもくるくる良く動くのが自慢のキットでした。
このルーバーの下の金アミもエッチングで精密再現。うん、だれにも完成後見えません。
履帯が決まらないから誘導輪も未接着
＝精密連結式履帯＝
履帯も2か所切ればバラになる。今見ると普通ですね。
これは硬くてやりにくそう
特筆すべきは、転輪のゴム部分が別パーツなところ
自作は大変だぞ
接着しちゃうとこの夢？可能性を失いそうで、まあ、またこのまま…。
上部小転輪まで
よくできてる～
裏から見るとプレス製品感あふれる仕上り。
★だからっ撃破されて丸焼け、ゴム燃え尽き情景が簡単にできそうなのだ！・これを夢といわず何とかする。
バラ履帯
白くなった灰
前にも書いたエッチングベルト
指揮車もいいね！・アンテナつき。
夢いっぱい
涙
あって、後期型ハマークのバッテンジェリカンにタスカ部品つけてディテールアップしてる……。
バッテン缶は貴重だったのです。
Ⓒ19
プレス線エッチング

モケイネゴト／モリナガ・ヨウ
以前戦車＋女の子はそれなりに手間をかけたこともありましたが
IV号ちゃん
ヴィルベルヴィント
20年前だって
もう最近はこんなかんじ。
ベア子
メル子
なすほるん
何だか勢いで言いきっちゃっていいんじゃないかと。
I号A型ちゃん B型ちゃん
あ、でもヴィルは被り物しててもいいかな。
さて、備蓄プラモ再会シリーズ。
ママ
中断したまま仕舞いこんだプラモの筆頭はやはりトライスターのIV号C型ではないかと。捨てるなんてもってのほか。
Tristar
ものすごく細かいハッチの裏側
神田三省堂のオリオン模型で、「限定品」って勧められて買ったんですよ。
2008年ぐらい？すごくディテールアップとか流行してて。たいへん細かい夢のキットでした。D型が話題で、Cはニッチな位置。
IV号C型ちゃん
帯状パーツを回めて貼ったり。
MADE IN HONG KONG
天面にマイナスネジモールドいっぱい。
砲口のフタ別パーツ
…長年放置してあると、苦労したことを忘れるという効果がありました。ほとんどできてるじゃないか！
なんかパテの跡たくさん。いろんなことがあった模様。
砲手席もある。
バスケットの床まで。
砲塔を載せない時用の輪っか。？
予備履帯座金もこんなパーツ数です。
固定用のネジまで再現。
このへんのパテ跡は何でだか思い出せません。
ごっぽりヒケてた。
ここに切り欠きが！
エッチング全盛期だったので、紛失防止チェーンも入っています。
◎特に壊れた所もないので組み立てを再開してみましょう。しかしたいへんな細部表現です。
前後の泥よけは開閉選べます。
特筆すべきは可動式サスペンション！IV号はこんな風に生きていたのだっ
上下にぐりぐり動く。
ぐねぐね
これが見たい。
SNAP！
なので履帯も可動式。
…なのだが、うまくはまらない。
すぐバラバラになっちゃう。でも折角の可動式だから固定したくない…
どこまでも細く！なスリット。
前照灯のコードもセット。
・何と言いますか「僕の考えた最精密プラモデル」感がほとばしっています。誰しも夢想するモノだと思います。
わざわざ左右分けて作られているんですが。
…買ってから十何年経ってるので、もうタダみたいなモンじゃない？減価償却終わってるというか。
香港
だから追加キット買っても平気みたいな？
「減価償却」ってそういうことでいいの!?
加油
モデルカステンを通販で買いました。つづく

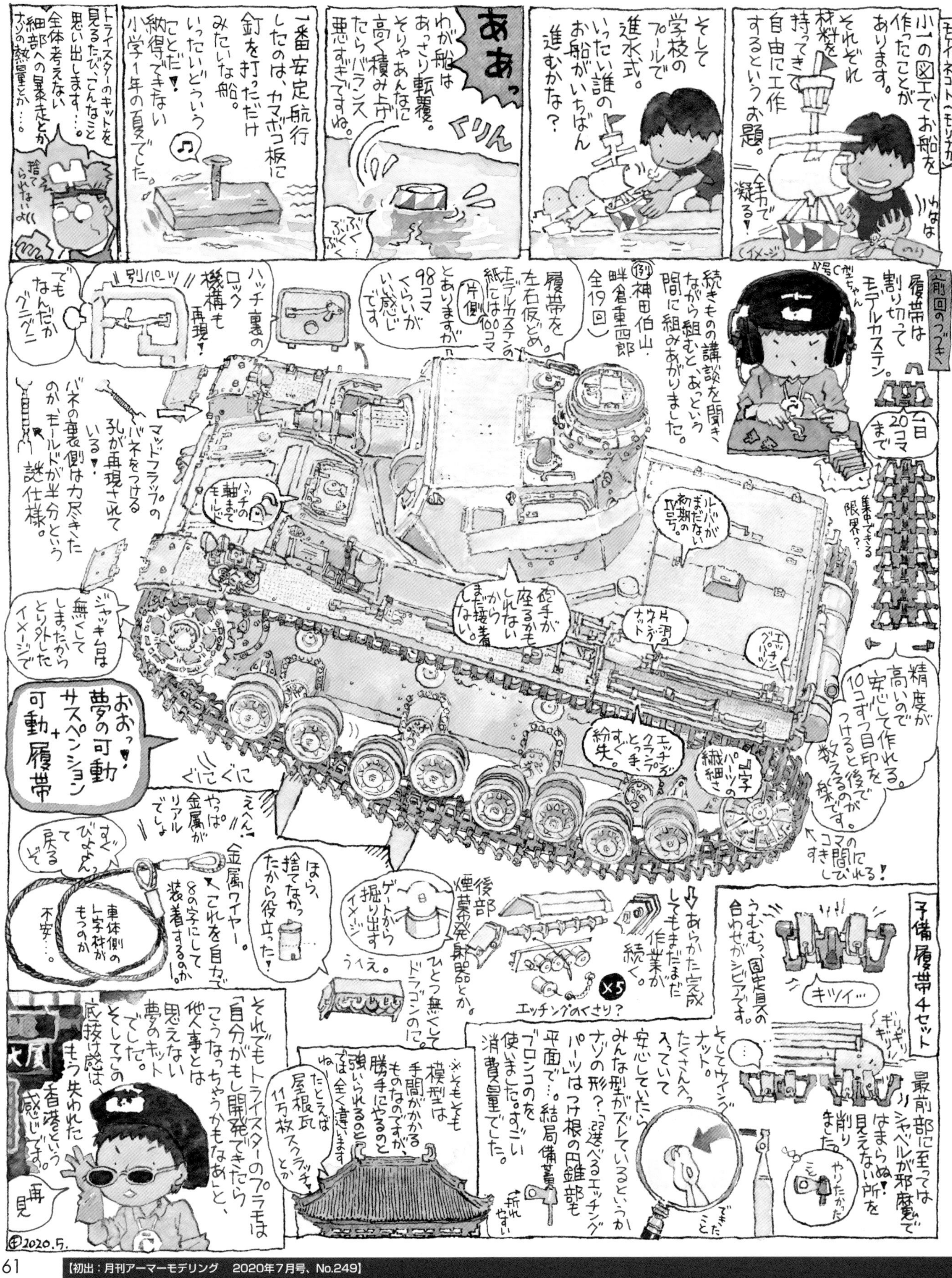
モケイネゴト（モリナガ）
小一の図工でお船を作ったことがあります。
それぞれ材料を持ってきて自由に工作するというお題。
全力で凝る！
わなは
（イメージ
のり
そして学校のプールで進水式。
いったい誰のお船がいちばん進むかな？
ああっ
わが船はあっさり転覆。そりゃあんなに高く積み上げたらバランス悪すぎですね。
くりん
ぶくぶくぶく…
一番安定航行したのは、カマボコ板に釘を打っただけみたいな船。
いったいどういうことだ！納得できない小学1年の夏でした。
トライスターのキットを見るたび、こんなこと思い出します…。
全体考えない細部への暴走とかナゾの熱量とか…。
捨てられないよ〜
前回のつづき
履帯は割り切ってモデルカステン。
Ⅳ号C型ちゃん
一日20コマまで
集中できる限界？
続きものの講談を聞きながら組むと、あっという間に組みあがりました。
（例）神田伯山・畔倉重四郎 全19回
履帯を左右仮どめ。モデルカステンの紙には100コマとありますが（片側）98コマくらいがいい感じです
ハッチ裏のロック機構も再現！
〃別パーツ〃
でもなんだかグニグニ
マッドフラップのバネをつける孔が再現されている！
バネの裏側は力尽きたのか、モールドが半分という謎仕様。
ハッチの軸までモールド
ルーバーがまだない初期のⅣ号。
砲手が座るかもしれないからまだ接着しない。
片側のウイングナット
エッチングパーツ
精度が高いので安心して作れる。10コずつ目印をつけると後で数えるのが楽です。
コマのすき間にしびれる！
エッチングクランプ、とっ手、すぐ紛失。
□字パーツの繊細さ
ジャッキ台は無くしてしまったからとり外したイメージで
おおっ！夢の可動サスペンション＋可動履帯
ぐにぐに
えへん！やっぱ金属がリアルでしょ
すぐびよんって戻るぞ
金属ワイヤー。これを自力で8の字にして装着するのか！
車体側のL字枠がもつのか不安…。
ほら、捨てなかったから役立った！
ゲートから掘り出すイメージ
うへえ。
ひとつ無くしてドラゴンのに。
後部煙幕発射器とか。
エッチングのくさり？
×5
あらかた完成してもまだまだ作業が続く。
予備履帯4セット
うむむっ、固定具の合わせがシビアです。
キツイ…
ギリギリギリ！
…
最前部に至ってはシャベルが邪魔ではまらぬ！見えない所を削りました。
やりたかったここ
できたこと
そしてウイングナット。たくさん入っていて安心していたらみんな型がズレているというかナゾの形？「選べるエッチングパーツ」はつけ根の円錐部も平面で…。結局備蓄のブロンコのを使いました。すごい消費量でした。
折れやすい
※そもそも模型は手間がかかるものなのですが、勝手にやるのと強いられるのとでは全く違いますねー
たとえば屋根瓦11万枚スクラッチ！とか
それでもトライスターのプラモは「自分がもし開発できたらこうなっちゃうかもなあ」と、他人事とは思えない夢のキットでした。
そしてこの底抜け感は、もう失われた香港という感じです。
再見
㊥2020.5.

【初出：月刊アーマーモデリング　2020年7月号、No.249】

【初出：月刊モデルグラフィックス　2012年12月号、No.337】

お久しぶりです。この連載をしていたの14年も前なんですなあ。
小4ムスメ
ムスコ中2
おフロ洗ったよ
祝タミヤミリタリーモデル50年!ということで最近思うことつらつら書きます。
キューベルワーゲン!
子供のころから作っている訳だが、タミヤのプラモは大人っぽかった。
タミヤニュースでは大の大人がプラモを持って得意になっていた(今も)。
子供の小遣いで買えるモノなのに。
模型ファンをたずねて　セルジュ・バイオ
この人の場合はサス可動の25分の1だが。
・「バーリンデンのアトリエ」ですって!写真のショーケースにあこがれたものである。
インストも設計図にふり仮名ないし
バーリンデンのアトリエ
しかしどうしてプラモ作る大人をアホウと思わなかったのだろう…。
壁に銃が。
大人世界に夢をもてた…。
昔の自分よ
いつかこんなふうに飾りたいな―
そんな未来こないよ!
作る時間も場所もないね!
ただこういった趣味って経済力など考えるに大人のモノであったのかもしれない。
鉄道模型の巨大情景(レイアウト)なんて子供には無理である。
レイアウトテクニック
昭和48年初版
ひと部屋つぶしている!
//工作技術　計画性//
財力
電気
☆どうもそんな「いつか」は来ないみたいだから、このところ古いストックを組み倒してます。
ビュンビュンできる
大人だから祈らない。
流し込み接着剤だと意外に仕上りキレイなのだ。
無塗装でデカール貼っちゃう
空き箱はすぐ潰す。
タミヤミリタリーモデルと同い年だそうで…
ファミレス(市部)
そうです
吉祥寺怪人
機関銃チームの発売は?
MILITARY MINIATURES
小6、七夕水害のときです。
便利だ
ミリタリーモデルの進化といっしょに成長した、希有な世代なんですよ…
登山に例えると
ツメキリ
低い山からだんだん高くなる
あー
いまは初心者いきなり
八ケ岳みたいな
でも道具も進化してるの。

◉編集担当から◉

この記事にはちょっと説明が必要かもしれません……これは1962年の［パンサータンク］発売から五十周年を迎えたタミヤのミリタリーモデル特集号（2012年の『モデルグラフィックス』誌：小社刊）に描かれました。その特集の構成を編集部から依頼されたのですが、それがなんともむちゃくちゃで……。モリナガさんの相方である私＝吉祥寺怪人が当時たまたま1962年生まれの50歳だったので、《吉祥寺とタミヤ戦車模型の50年史》みたいなふうにという「いやちょっと待って?!」的なオーダーなのでした。にもかかわらず、モリナガさんは長年ふたりで続けた連載『35分の１スケールの迷宮物語』番外編として的確にまとめてくれました。

でまあ、いざ50歳になってみますと、30や40歳になったときと比べてあきらかに衝撃度が異なりましたね。「組み立て図とランナーに目の焦点が合わない!?」という老眼の恐怖を筆頭として、これから歩いていく道のむこうがかすんでいるという不安感たるや……。この記事の時点ですでに「ああ、僕らに老後なんてものはないかもな……」と感じましたが、本書編集時（2020年）ではっきりしましたね。

しかし今回、モリナガさんとの対話（＝プラモ馬鹿話）を重ねることで諦念といいますか、今後の自分の模型ライフの設計図がうっすら見えた気がしました。もう「いつかは来ない」ものだと考えて……たとえ作りかけでも「これでいいのだ」と、自分だけの友人として寄り添い、ほそぼそと語りかけていけばいいんじゃないかなあと。（吉）

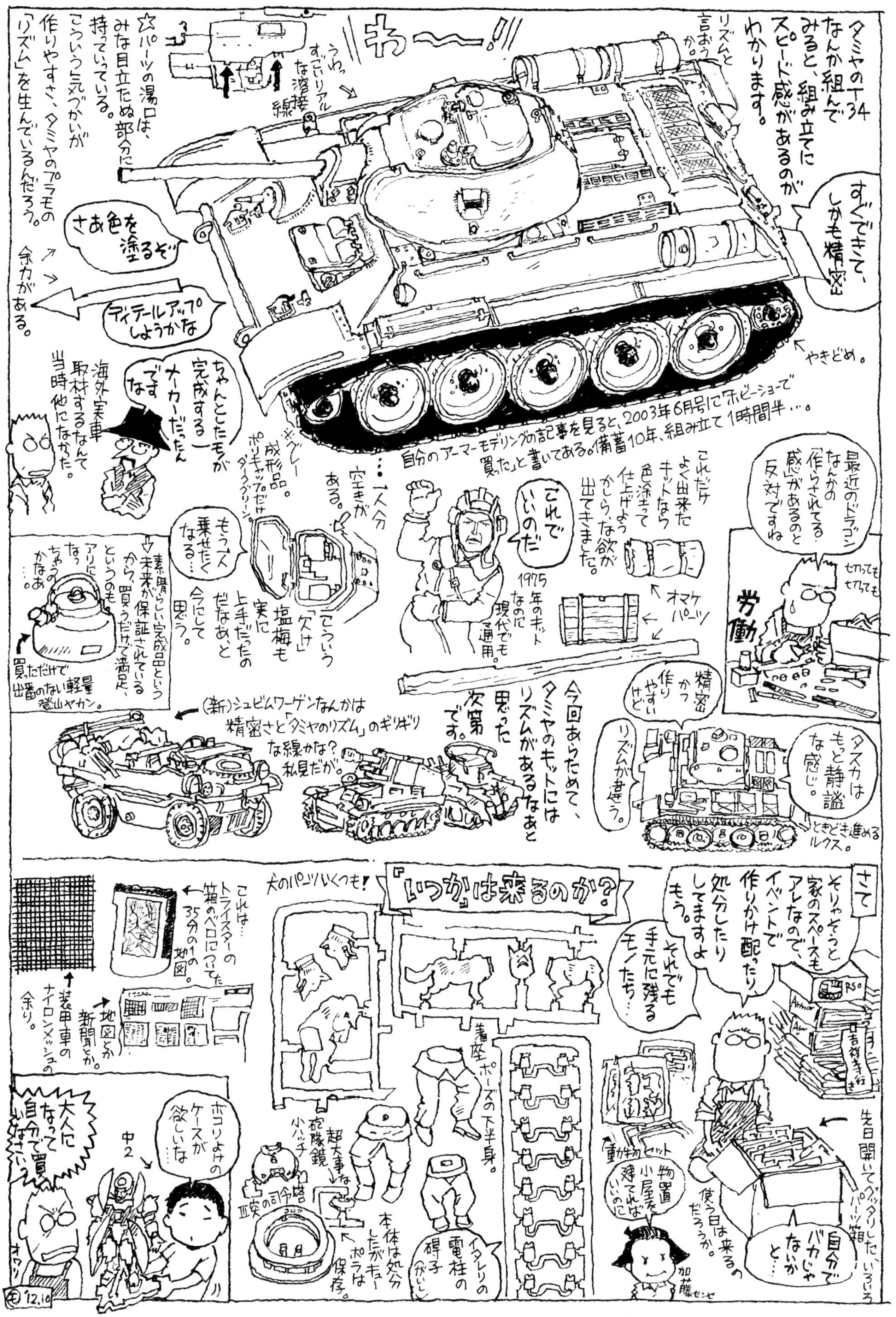

タミヤのT34なんか組んでみると、組み立てにスピード感があるのがわかります。
リズムと言おうか。
わ〜〜!!
うわっすごいリアルな溶接線
☆パーツの湯口は、みな目立たぬ部分に持っていっている。こういう気づかいが作りやすさ、タミヤのプラモの「リズム」を生んでいるんだろう。
すぐできて、しかも精密
さあ色を塗るぞ
余力がある。
ディテールアップしようかな
やきどめ。
ちゃんとしたモノが完成するメーカーだったんですな
海外実車取材するなんて当時他になかった。
自分のアーマーモデリングの記事を見ると、2003年6月号にホビーショーで買ったと書いてある。備蓄10年、組み立て1時間半…。
最近のドラゴンなんかの「作らされてる感」があるのと反対ですね
切っても切っても
労働
これだけよく出来たキットなら色塗って仕上げようかという欲が出てきました。
オマケパーツ
1975年のキットなのに現代でも通用。
これでいいのだ
…一人分空きがある。
成形品はグレー。ポリキャップだけダークグリーン。
もう一人乗せたくなる…
こういう「欠け」塩梅も実に上手だったのだなあと今にして思う。
素晴らしい完成品というから未来が保証されているから、買うだけで満足、というのもアリになっちゃうのかなあ…。
買っただけで出番のない軽量登山ヤカン。
精密かつ作りやすいけど
タスカはもっと静謐な感じ。
リズムが違う。
ときどき進めるルクス。
今回あらためて、タミヤのキットにはリズムがあるなあと思った次第です。
(新)シュビムワーゲンなんかは精密さと「タミヤのリズム」のギリギリな線かな? 私見だが。
さて
そりゃそうと家のスペースもアレなので、イベントで作りかけ配ったり、処分したりしてますよもう。
それでも手元に残るモノたち…
「いつか」は来るのか?
犬のパーツいくつも!
これは…トライスターの箱のベロについてた35分の1の地図。
地図とか新聞とか。
装甲車のナイロンメッシュの余り。
着座ポーズの下半身。
イタレリの電柱の碍子(がいし)
超大事な砲隊鏡 小ハッチ
III突の司令塔
本体は処分したがキューポラは保存。
先日開いてグッタリした、いろいろパーツ箱
自分でバカじゃないかと…
吉祥寺行き
動物セット
物置小屋を建てればいいのに
使う日は来るのだろうか。
加藤センセ
ホコリよけのケースが欲しいな…
中2
大人になって自分で買いなさい。
オワリ
12.10

いつかは来《いつ》るのか？
マーダーII美
フィールドグレイ
「この連載どこに向かっているの!?」
さて今回単行本作るので久々にパーツ箱開けてみました
いやもう8年前と状況全く変わらん
プラスチックだからねー
ステノナイデ
ステデナイデ
15cm砲弾ちゃん
2012.10のMG参照。
15cm砲弾ちゃん（ドラゴン）
貴重なイタレリの電柱・碍子（がいし）
わん
犬のギッドも「まて」のまま20年以上ですと？？
ひとつも減っていません。1/35の碍子屋開ける。
マルモ碍子
見よこの捨てられない動物セット▼
増えてるし。
↑これはゴムボートふくらませるフイゴ？
トライスターの小火器ワクもこんなに▼
スライド金型ガスマスクなのよ…
ホビーショーなんかでつい買うのかなあ？動物袋。あまり見ない成形色です。
小鹿時代の箱
果たして未来に巫突組む日がくるのでしょうか
あっ！「さくらや」。
「これは文化財ですね
⇩若い読者のかたへ。自分も昔模型雑誌でもう売ってないプラモの話をされていやでした。でも大丈夫です、
何年か続けていればすぐみなそうなりますよ
中学モリナガ
やっぱり「いつかは来なかったみたい…
I・II号戦車ジャッキ（ガンプ）
ドラゴン無限余剰パーツ群
なかなか減らないワインの鉛シール
タスカ・夢のリアルジェリ缶
1/35蛇口
俺たちを捨てるというのか!!
どんどん「今」使ってしまいましょう
タミヤのドラム缶ジェリ缶
…と、備蓄パーツにはげまされるモリナガでした。
ぼくらも元気だよ
……
38cmロケット弾ちゃん（アルミのも）
㋲'20

相手の砲撃を喰らわないように、「一撃、即退避」なすごいシビアなゲームに
部屋は片付く。

第3章

③ＲＣ戦車の遊び方

《親子で無線操縦模型対戦》

リモコン戦車の時代から対戦という遊びは白熱する。ＲＣ雑誌の依頼でＲＣ戦車のレポートをした著者、その記事は対戦による最新機能の紹介だけでなく、はからずも親子の記録になっていた。

R/Cタンクを体験する
えと文/モリナガ・ヨウ
①タイガーⅠがやってきたの巻
さて、待ち合わせ場所に行くと大きな袋を渡されました。
電車の中でみんな覗くんです
これ？
リュックサックに入るぐらいだと思っていた。
無線で動く戦車模型で遊んでみよう企画です。自分は動かないプラモはたしなみますが、R/Cタンクはほとんどはじめてです。
どは！
☆24分の1のR/Cタンクセットって、こんなに大がかりなの!?
まず箱のデカさにたまげる
ちなみに我が愛用対流式ストーブとだいたい同じサイズ。（奥行きはさすがに半分だけど）
他ラインナップ。
西ドイツやソ連は★や☆なのに、陸自はⓋなのが
MADE IN CHINA。
★箱から出して電池を入れるだけですぐ遊べるのがウリだ。…あれ？ 出せないよ？ ムリヤリ引っぱって壊してもいけない。
?
かなり先行き不安になる…。
単3電池を十数こ使うという話だから、コンビニに寄る。
…パパなんかすごく恥かしい…
コンビニ店内ですごいジャマ。
固定台座にネジでしっかり留まっていました。
電池を入れよう。
…いくつ入るの？
MADE IN CHINA
「コントローラー。「昔のリモコン」とは激しく違い進歩したモノになっている。
ボタンいっぱいだ
車体底面のスイッチを入れて起動！
パンツァーフォー！
ブロロロロロ
うどどどどどどどど
…わー
ムスメ（小5）
エンジンスタート音が大きくて驚く。ゼェゼェ…。
互い違いに単3電池をはめる玩具なんて生まれて初めてだ！
キャンプファイヤー
燃費が悪そうなところが戦車っぽくてリアルじゃないか
主砲や砲塔回転までこなす
これも単3を6つも喰う。

【初出：RC WORLD（枻出版社）2014年1月号】
★「戦車系スケールモデラーの視点で製品を体験して、イラストルポを描いてください」という依頼でした。いや、そもそも対戦相手はどうするのか地味に難しい問題です。当時、小学生の娘が手伝ってくれて助かりました。自宅仕事なので「お店屋さんの子供」的にいろいろ駆り出していたのです。（モ）

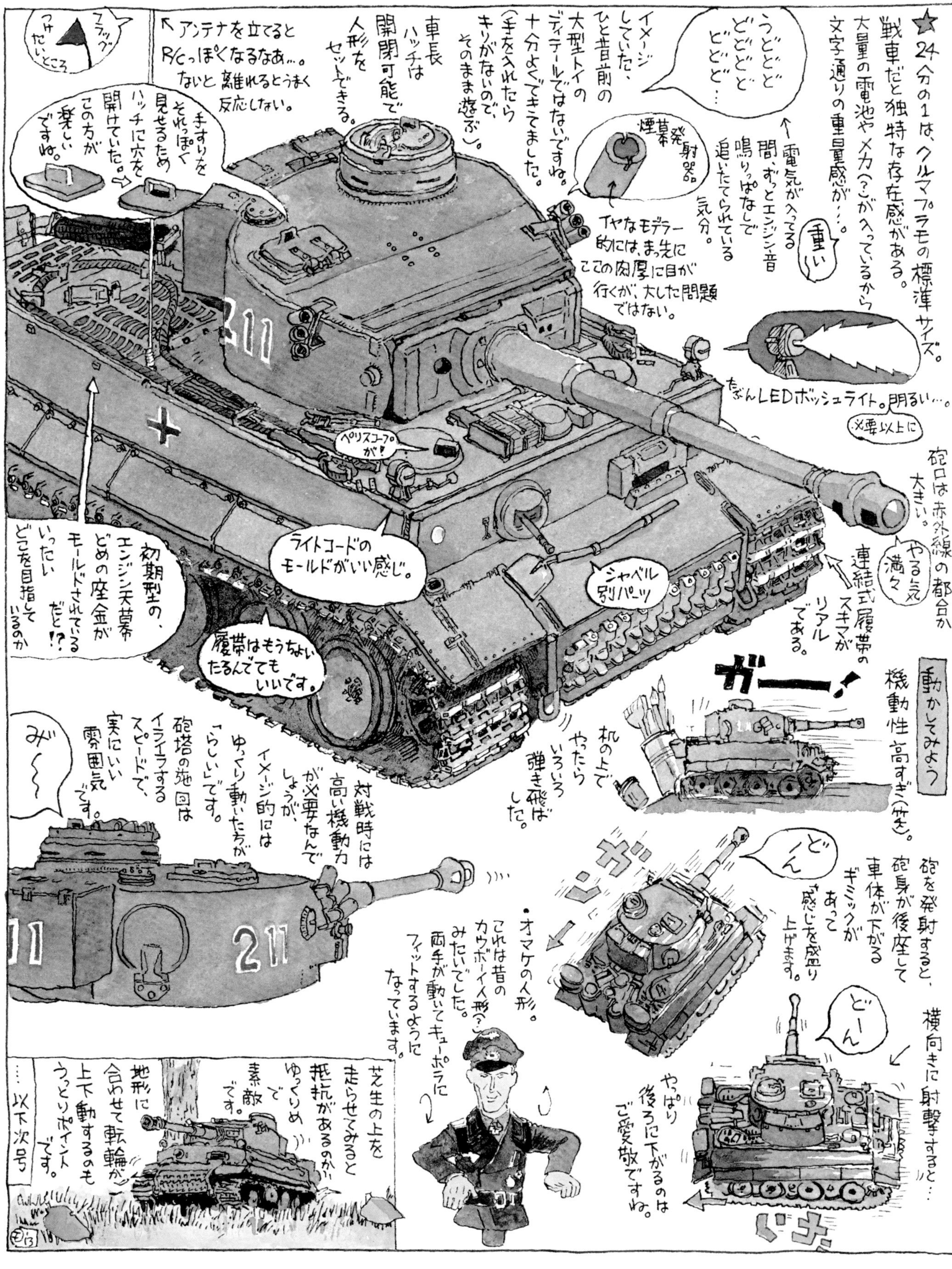
★24分の1は、クルマプラモの標準サイズ。
戦車だと独特な存在感がある。
大量の電池やメカ(?)が入っているから
文字通りの重量感が…。
重い
うどどど
どどどど
どどど…
↑電気が入ってる間、ずっとエンジン音鳴りっぱなしで追いたてられている気分。
煙幕発射器。
イヤなモデラー的には、まっ先にここの肉厚に目が行くが、大した問題ではない。
イメージしていた、ひと昔前の大型トイのディテールではないですね。十分よくできてました。
(手を入れたらキリがないので、そのまま遊ぶ)。
車長ハッチは開閉可能で人形をセットできる。
↖アンテナを立てるとR/Cっぽくなるなぁ…。ないと離れるとうまく反応しない。
フラッグつけたいところ
手すりをそれっぽく見せるためハッチに穴を開けていた。この方が楽しいですね。
たぶんLEDボッシュライト。明るい…。
必要以上に
砲口は赤外線の都合か大きい。
やる気満々
連結式履帯のスキマがリアルである。
ペリスコープが!
ライトコードのモールドがいい感じ。
シャベル別パーツ
初期型の、エンジン天蓋どめの座金がモールドされているだと!? いったいどこを目指しているのか
履帯はもうちょいたるんでてもいいです。
動かしてみよう
機動性高すぎ(笑)。
ガー!
机の上でやったらいろいろ弾き飛ばした。
対戦時には高い機動力が必要なんでしょうが、イメージ的にはゆっくり動いたちが「らしい」です。
砲塔の旋回はイライラするスピードで、実にいい雰囲気です。
み〜
砲を発射すると、砲身が後座して車体が下がるギミックがあって"感じ"を盛り上げます。
どん
ガン
横向きに射撃すると…
どーん
やっぱり後ろに下がるのはご愛敬ですね。
・オマケの人形。これは昔のカウボーイ人形(?)みたいでした。両手が動いてキューポラにフィットするようになっています。
芝生の上を走らせてみると抵抗があるのかゆっくりめで素敵です。
地形に合わせて転輪が上下動するのもうっとりポイントです。
…以下次号

★ちょうどテレビでアニメ『ガールズ&パンツァー』をやっていたころで、娘もいっしょに観ていたため〝この乗り物がそもそもどういうものか〟という根本説明が不要だったのは幸いでした。(モ)

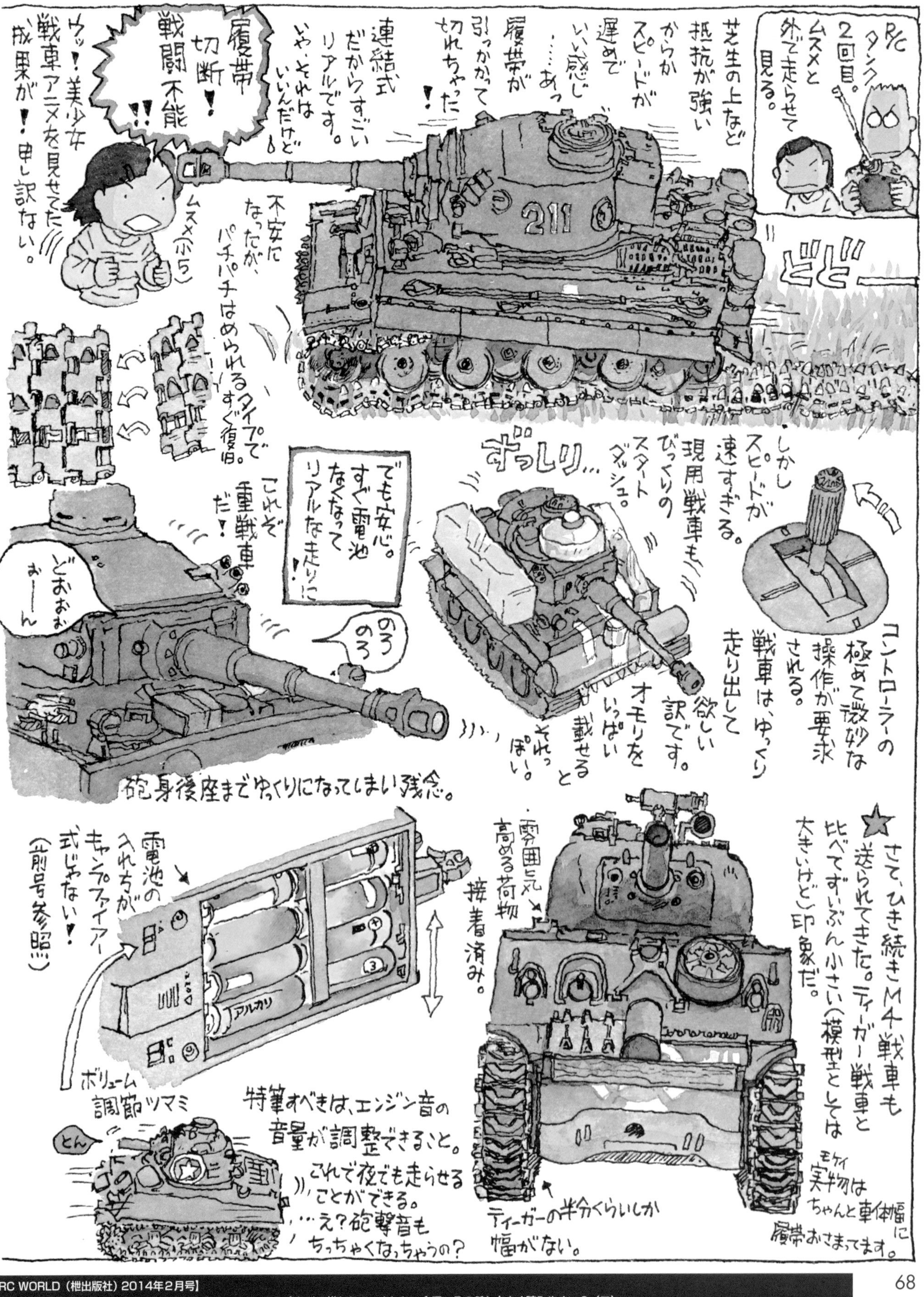
R/C タンク2回目。ムスメと外で走らせて見る。
芝生の上など抵抗が強いからかスピードが遅めでいい感じ
……あっ 履帯が引っかかって切れちゃった！
連結式だからすごいリアルです。いや、それはいいんだけど
履帯切断！戦闘不能!!
ウッ！美少女戦車アニメを見せてた成果が！申し訳ない。
ムスメ（小5）
不安になったが、パチパチはめられるタイプですぐ復旧。
どどどー
ずっしリ…
しかしスピードが速すぎる。現用戦車もびっくりのスタートダッシュ。
コントローラーの極めて微妙な操作が要求される。
戦車は、ゆっくり走り出して欲しい訳です。
オモリをいっぱい載せるとそれっぽい。
これぞ重戦車だ！
どおおおおーーん
でも安心。すぐ電池なくなってリアルな走りに！
のろのろ
砲身後座までゆっくりになってしまい残念。
電池の入れ方がキャンプファイアー式じゃない！（前号参照）
アルカリ
ボリューム調節ツマミ
とん
特筆すべきは、エンジン音の音量が調整できること。
これで夜でも走らせることができる。
…え？砲撃音もちっちゃくなっちゃうの？
雰囲気高める荷物接着済み。
★さて、ひき続きM4戦車も送られてきた。ティーガー戦車と比べてずいぶん小さい（模型としてはそれは大きいけど）印象だ。
ティーガーの半分くらいしか幅がない。
実物《モケイ》はちゃんと車体幅に履帯おさまってます。

【初出：RC WORLD（枻出版社）2014年2月号】
★雑誌掲載時は商品写真もあったので、ひとまわり小さいスペースに合わせて描かれていました。今回、そのぶん大きく読みやすい？（モ）

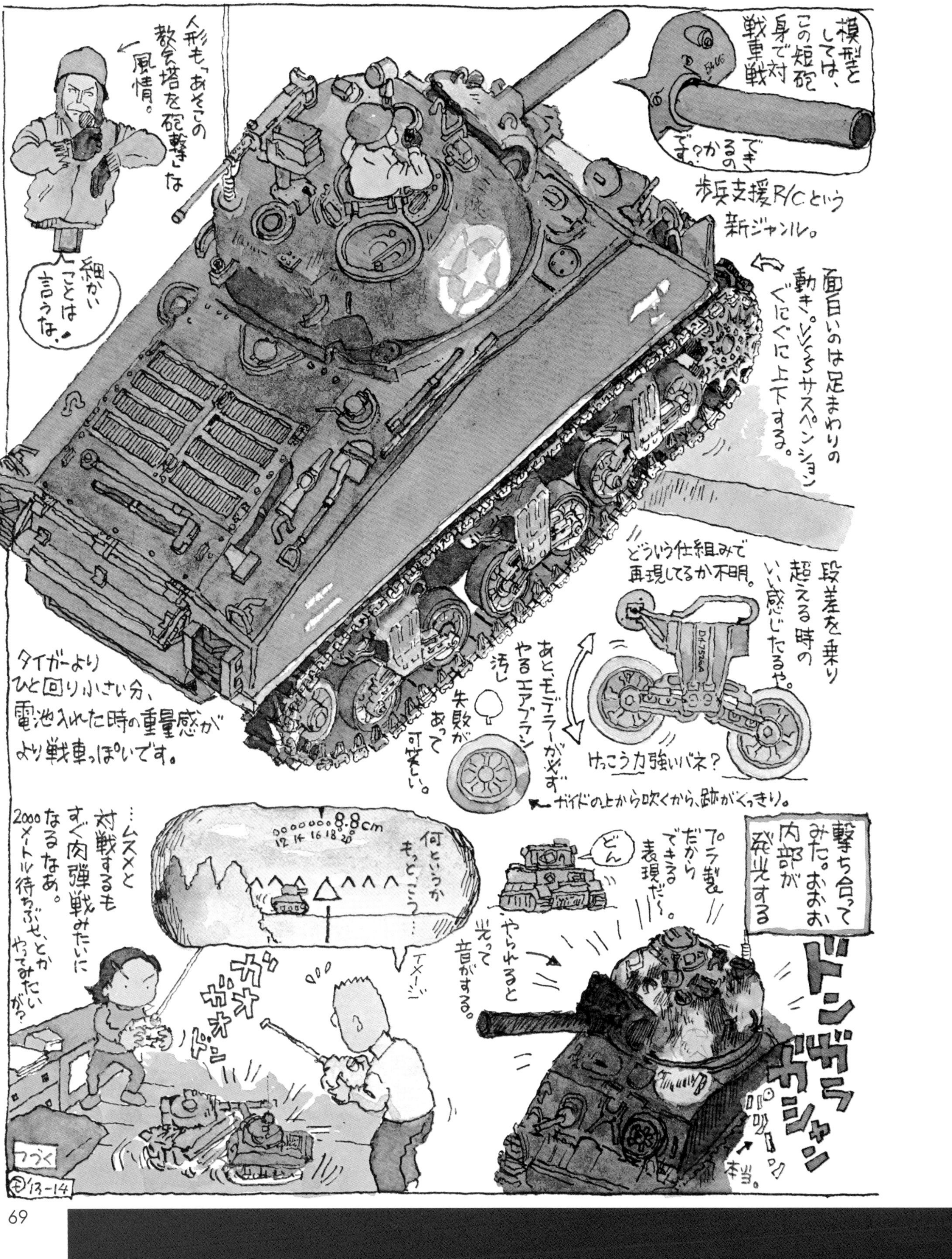

人形も「あそこの教会塔を砲撃」な風情。
細かいことは言うな。
模型としては、この短砲身で対戦車戦できるのですか?
歩兵支援R/Cという新ジャンル。
面白いのは足まわりの動き。VVSSサスペンションぐにぐに上下する。
段差を乗り超える時のいい感じだるや。
どういう仕組みで再現してるか不明。
けっこう力強いバネ?
あとモデラーが必ずやるエアブラシ汚し失敗があって可笑しい。
ガイドの上から吹くから、跡がくっきり。
タイガーよりひと回り小さい分、電池入れた時の重量感がより戦車っぽいです。
撃ち合ってみた。おおお内部が発光する
プラ製だからできる表現だ~。
どん
やられると光って音がする。
ドンガラガッシャン
本当。
8.8cm
12 14 16 18 20
何というかもっとこう…
イメージ
…ムスメと対戦するもすぐ肉弾戦みたいになるなあ。
2000メートル待ちぶせ、とかやってみたいが?
ガオ ガオ ドン
つづく
'13-14

R/Cタンク3回目。雰囲気を盛り上げるアクセサリーもある。
専用のフクロ
ずしっ
やたら高級感ただようパッケージングでした。
他にも土のう付き陣地や崩れかけの家など。これがまたでかくて重い。
ポリストーンっていうのかな？
窓可動。
1/24彩色済みメタルフィギュアいろいろ。
何ともお金持ちの子息気分。
どしっ
本誌ぐらいあります。厚さは倍。
コンバットなんか放映されてる小学時代にこんなプレゼントもらったら狂喜したろうなあ。
★さて、今回の目玉はキングタイガーです。
やっぱり ずしっ
タイガーI型よりひとまわり大きいです。R/Cタンクはこうでなきゃ、な力強さがあります。
抱えるサイズ。
重戦車だもん
走って来るの正面から見ると放つオーラが違います。すごいワクワクする♥
2014
大胆なネジ穴。気になる人は埋めるよろし（？）。
慣れてきたから、砲塔回しながら走れる。
実にいい感じだ
ゴロゴロゴロ…
履帯の幅が広いからか、あんまり速く走らないイメージ。
オマケでもらったカレンダーの、表紙姉さん。
カンケイナイ

【初出：RC WORLD（枻出版社）2014年3月号】

★サイドスカートフル装備なので、富士山型のスタイルが強調され実際以上に巨大に見えます。
フェンダー
(スカート)止め具まわりのディテールが細かい!
これを感じさせるモールド。
画面に入りきらぬ。
鋭角的
あと、メカメカしい外観に、モーターによる動作がぴったりはまっている。
★で、ムスメと対戦だ。……ゲゲッシャーマンと対等だというのか!?
しかも砲身長が長いから、ちょっとでもフトコロに入られると撃たれ放題です
ちょっと待て～!
ドガシャー
パリーン
……防御力に差があったら、ゲームが成立しませんね。しかもでかい分、なんだか敵弾がよく当たる気がします。
視点を下げないとちゃんと狙えてるかわからず、こんな情景になる。
オペラグラスで見ると楽しさ倍。
ボガーン
★しかしかなりの重量なので、室内だと家具が凹みそうだ。アクセサリーの丈夫さに納得です。
★突撃砲タイプの方が遊びやすいかも。

⇩今回は陸上自衛隊の九〇式戦車です。
おお、環境センサー別パーツで起倒式でリアル。
ものすごく大きいサイズ！
うぃーん
砲尾のゴムカバーも、軟質素材でいい感じに再現されている。
模型のサイズが1/24なので120ミリ砲も太くて強そうだ。
砲身基部のゴッツイ感じはこのスケールならではないだろうか。
太さ2センチ近い
この辺のスキマも小さなプラモでは難しい。
…どんどん絵も戦車が大きくなっている？
ライトコードが再現されていました。
モデラー的にはパーティングライン整形が超メンドウな陸自ブックが塗装済みでくっついてるのがうれしい。
たんす
ドーー
欲を言えば急停止の沈みこみがあるとなお良しでした。
人形。
アジア顔だなぁ
砲塔のマークは北千歳の第71戦車連隊みたいです。（調べた）。
さて、動かしてみよう！電池満タン全力走行が実によく似合う。でかくて重いモノが高速で移動する。無茶な急カーブでも、実車もやるから本物みたいです。ビバ現用！
急発進急停止は首にくる
乗せてもらったことあり。

ドカーン!!
で、次のテーマはアクセサリーのトーチカ。戦車のマトに使います。
屋根の上に同梱の木箱を並べて……戦車砲で撃つと爆発音とともに屋根がポコンと上がり、箱が周囲に飛ぶ。
電池は単4でした。
← コンクリート製のトーチカを再現しているみたい。ノルマンディー的な？ 銃眼は埋まっているナゾ仕様。
意外にはまる…
……バカみたいと思うでしょ？ 私もそう思いました。ところが、これが面白い！
3番の台にたてこもった敵を、撃破しますッ
どん
タイミングが絶妙。変な間もなく、発砲するや否や吹っ飛ぶ。超音速(?)の砲弾が感じられます。
どがーん!
R/Cの戦車同士だと破壊が目に見えませんものね。
キチンと並べないとちゃんと飛ばない。
(センサーの上に箱を置くと反応しない)
走りながらやったり。
どん
……
ただ一人でやって、一人でセッティングするのはちょっと残念かな…。だれも見てなければ平気だけど。
↑あと命中判定がけっこうシビアで、適当に狙ってもトーチカの撃破はできないみたいです。
雪
先日、雪が降りまして、やりましたよ。雪中行軍。模型が重いからいい感じのワダチが。
ヤーボがくるぞ!
履帯跡
バックは雪を押しちゃって不得意でした。
ぎゅむむ
ワダチでいいのかしら?

☆今回は旧ソ連のT72M1戦車。何というか別パーツいっぱいだ！
R/C アンテナ増設しても異和感ない情報量です。
対空機関銃もいい感じ。24分の1だと、けっこうな存在感です。
増加燃量タンクはおろか、パイプまで立体。なんだかスゴイ。
描くのも大変だ▼
☆東西冷戦というか第3次世界大戦というか、恐怖の東側メカを「余すところなくモデル化しました」な風情です。
発煙筒もびっしり
一体成型ではなく、いちいち別部品を貼りつけている。自分で組み立てるのは…大変だと思います。
☆ソ連の戦車といえば、戦車兵の身長制限があるというウワサがあった程の車高の低さが特徴です。
この
R/Cタンクもぺたんこで、
ハッチを開くと、天井ギリッギリまで内部装置が詰まってました。商品化大変だったんじゃないでしょうか。
みっしり
ある意味リアル
60〜70年代流行の大型転輪。
波切り板もあるから浅瀬をカッコ好く走りたいが一応分別のある大人なので自粛します。R/Cだし。
サイドスカートのゴムは軟質素材でうれしい。
組み立て図がないので、どこにはめるかわからないパーツ

【初出：RC WORLD（枻出版社）2014年5月号】

戦車の車高が低いから、いままでの製品と同じパッケージでは見栄えが悪いと判断されたのか、一枚ゲタが履かされていて可笑しいです。
車体裏側。電池も横一列に並んで、できるだけ低く！
不整地脱出用丸太まで
↑この辺のゴチャゴチャした部分もマジメに立体化。
お父さん新しい方ね
レギュラ〜
さて、対戦してみよう！
ゴアアア ア
どん
ボーン
パリーン
ソ連戦車対陸自戦車という、ある世代には強烈にアピールする遊びに…ちょ、T72ボコボコにやられるんですが!?
※2台とも音量調整機能が無いためすごい音です
☆さすが90年代の戦車だ、というかサイズ的に90の方が扱いやすいのかしら？ リビングで試合すると、わずかに見上げる立場のT72の方が不利なのかも知れません。本来の相手は74式あたりかなあ？
☆その後、中3ムスコにやらしてみたら容赦ない体当たり。
細かいパーツがふっ飛ぶじゃないか！
ボカーン
外せるものは外しておいた方が吉でしょう…。
壊れるっ!?
サイズ的にはひとまわり違う。
兄と弟というサイズ。

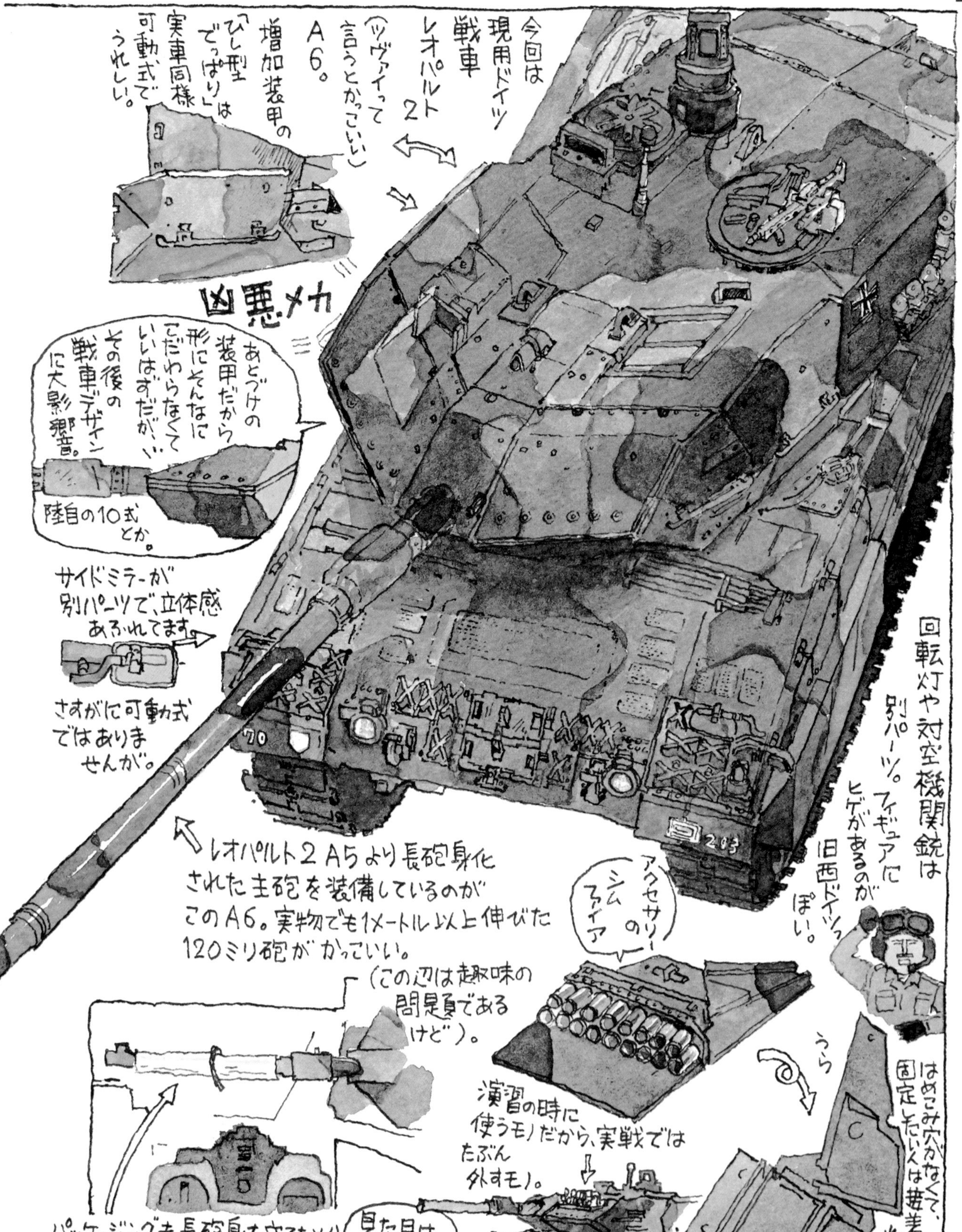
今回は現用ドイツ戦車レオパルト2（ツヴァイって言うとかっこいい）A6。
増加装甲の「ひし型でっぱり」は実車同様可動式でうれしい。
凶悪メカ
あとづけの装甲だから形にそんなにこだわらなくていいはずだが、その後の戦車デザインに大影響。
陸自の10式とか。
サイドミラーが別パーツで、立体感あふれてます。
さすがに可動式ではありませんが。
回転灯や対空機関銃は別パーツ。フィギュアにヒゲがあるのが旧西ドイツっぽい。
レオパルト2A5より長砲身化された主砲を装備しているのがこのA6。実物でも1メートル以上伸びた120ミリ砲がかっこいい。
（この辺は趣味の問題であるけど）。
アクセサリーのシムファイア
うら
はめこみ穴がなくて、固定したい人は接着しなければならない。
演習の時に使うモノだから、実戦ではたぶん外すモノ。
パッケージングも、長砲身を守るためかビニールでぐるぐる巻きにされていてプチ別格感です。
見た目は派手になるけど

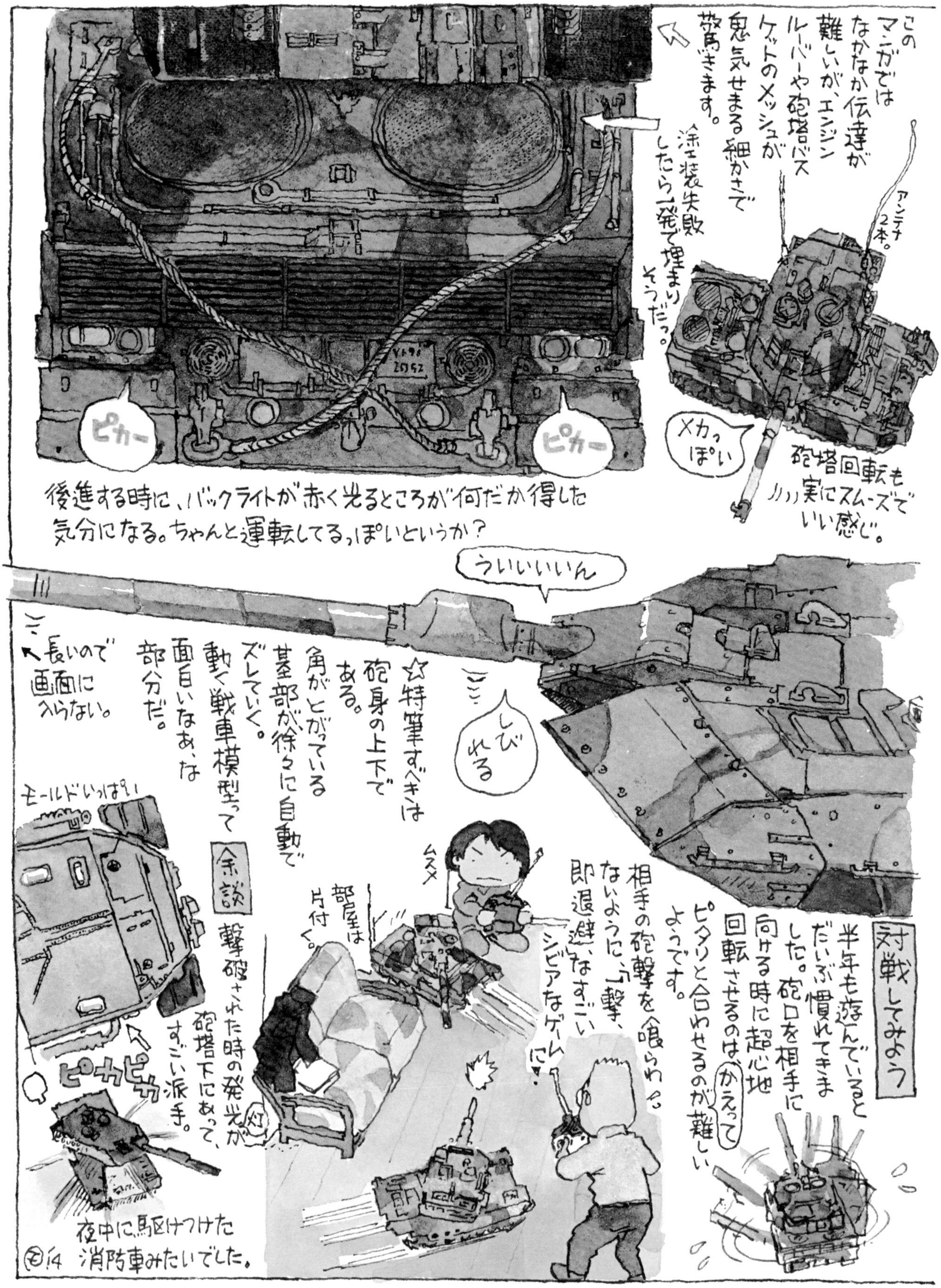
このマンガではなかなか伝達が難しいが、エンジンルーバーや砲塔バスケットのメッシュが鬼気せまる細かさで驚きます。
塗装失敗したら一発で埋まりそうだっ。
アンテナ2本。
ピカー
ピカー
メカっぽい
砲塔回転も実にスムーズでいい感じ。
後進する時に、バックライトが赤く光るところが何だか得した気分になる。ちゃんと運転してるっぽいというか？
ういいいいん
しびれる
☆特筆すべきは砲身の上下である。角がとがっている基部が徐々に自動でズレていく。動く戦車模型って面白いなあ、な部分だ。
長いので画面に入らない。
モールドいっぱい
余談
撃破された時の発光が砲塔下にあって、すごい派手。
灯
ピカピカ
夜中に駆けつけた消防車みたいでした。
部屋は片付く。
ムスッ
対戦してみよう
半年も遊んでいるとだいぶ慣れてきました。砲口を相手に向ける時に超心地回転させるのは、かえってピタリと合わせるのが難しいようです。
相手の砲撃を喰らわないように、「撃、即退避」なすごいシビアなゲームに！

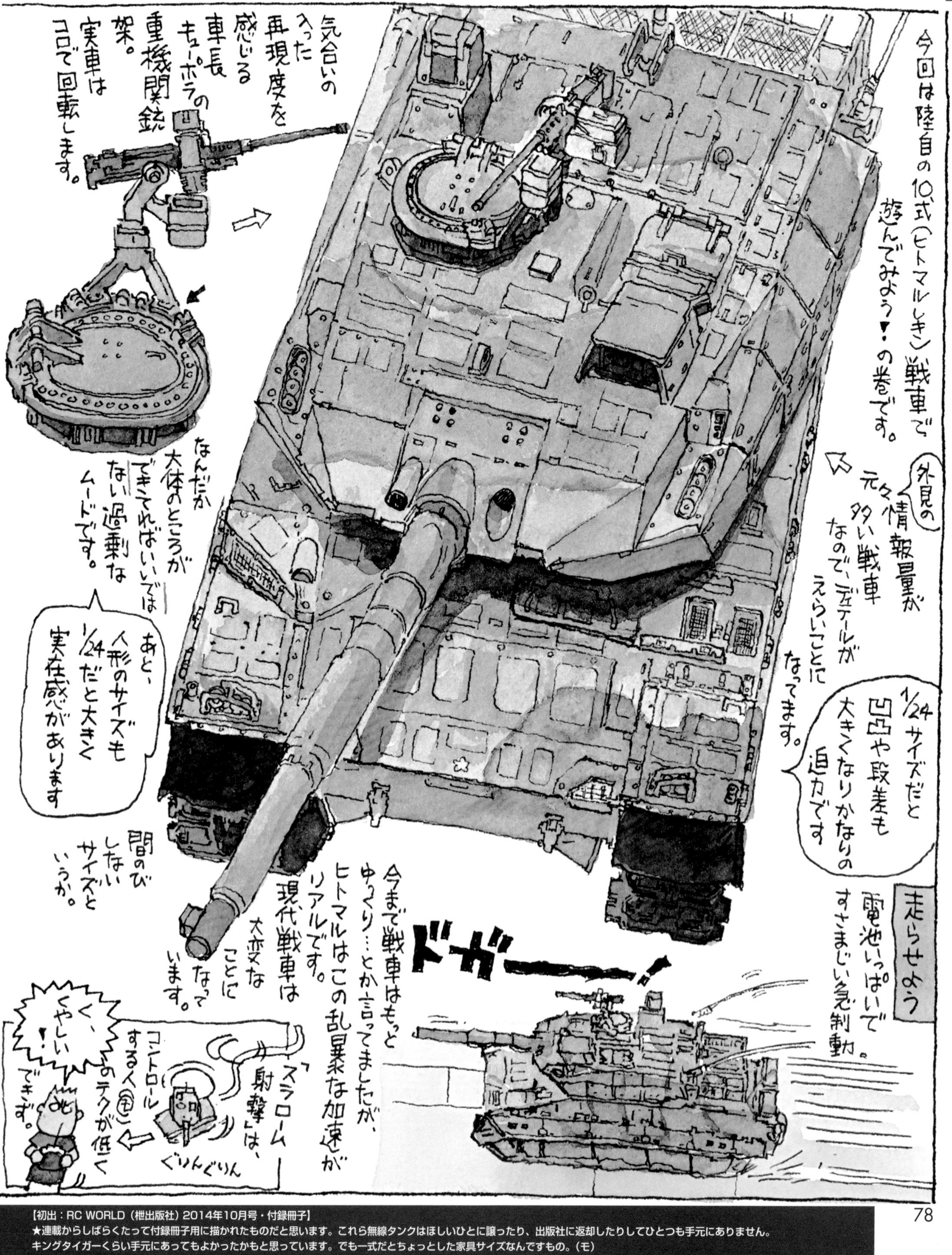
今回は陸自の10式(ヒトマルしき)戦車で遊んでみよう♥の巻です。
外見の情報量が元々多い戦車なので、ディテールがえらいことになってます。
1/24サイズだと凹凸や段差も大きくなりかなりの迫力です
走らせよう
電池いっぱいですさまじい急制動。
ドガーーー!
今まで戦車はもっとゆっくり…とか言ってましたが、ヒトマルはこの乱暴な加速がリアルです。
現代戦車は大変なことになっています。
「スラローム射撃」は、
コントロールする人(モ)のテクが低くできず。
ぐりんぐりん
く、くやしい!
気合いの入った再現度を感じる車長キューポラの重機関銃架。実車はコロで回転します。
なんだか大体のところが「できてればいいではない」過剰なムードです。
あと、人形のサイズも1/24だと大きく実在感があります
間のびしないサイズというか。

【初出：RC WORLD（枻出版社）2014年10月号・付録冊子】
★連載からしばらくたって付録冊子用に描かれたものだと思います。これら無線タンクはほしいひとに譲ったり、出版社に返却したりしてひとつも手元にありません。キングタイガーくらい手元にあってもよかったかもと思っています。でも一式だとちょっとした家具サイズなんですもの。（モ）

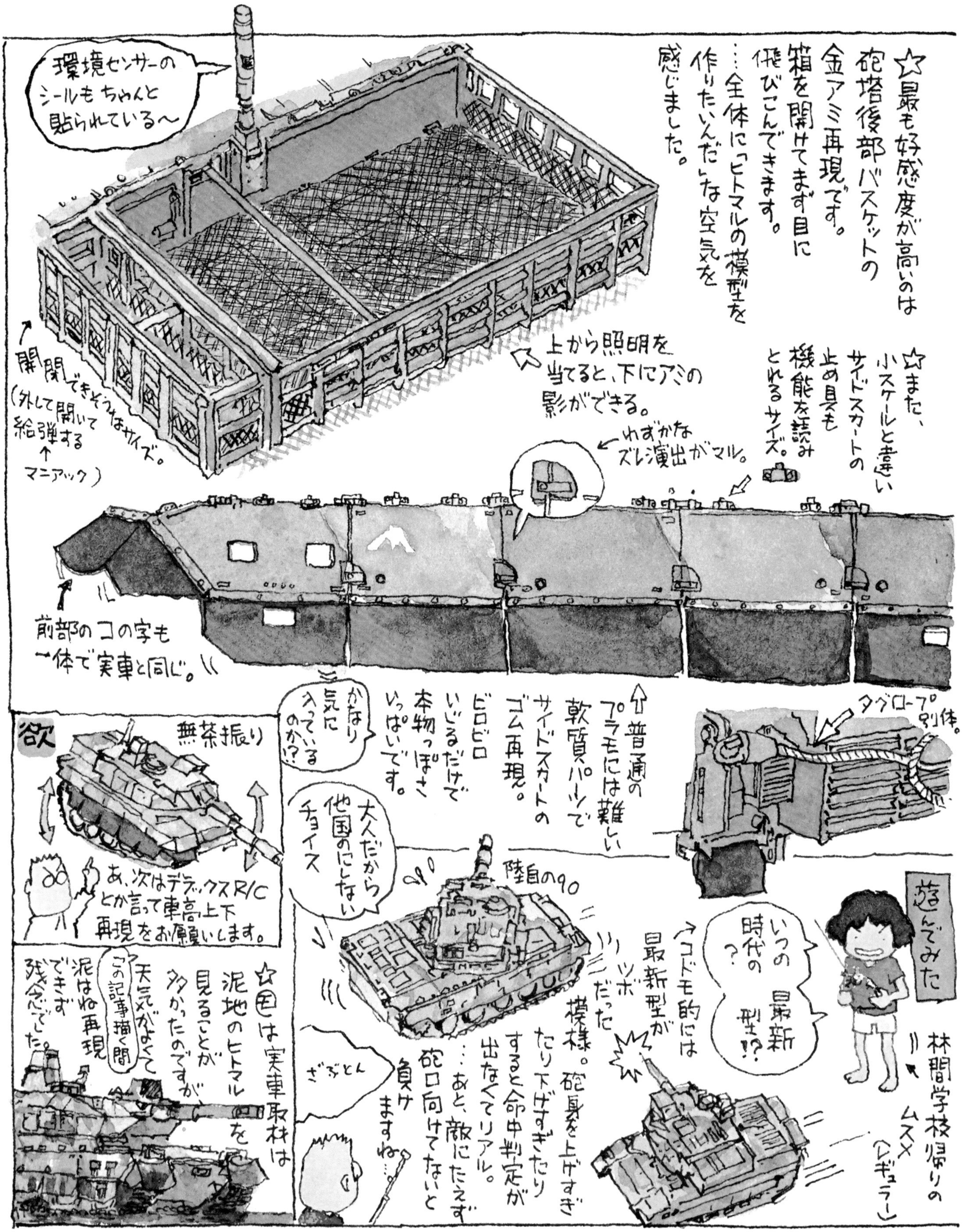

☆最も好感度が高いのは砲塔後部バスケットの金アミ再現です。箱を開けてまず目に飛びこんできます。…全体に「ヒトマルの模型を作りたいんだ」な空気を感じました。
環境センサーのシールもちゃんと貼られている〜
↑開閉できそうなサイズ。
(外して開いて給弾する ↑マニアック)
上から照明を当てると、下にアミの影ができる。
☆また、小スケールと違いサイドスカートの止め具も機能を読みとれるサイズ。
わずかなズレ演出がマル。
前部のコの字も一体で実車と同じ。
タグロープ別体。
⇧普通のプラモには難しい軟質パーツでサイドスカートのゴム再現。ビロビロいじるだけで本物っぽさいっぱいです。
かなり気に入っているのか!?
欲
無茶振り
あ、次はデラックスR/Cとか言って車高上下再現をお願いします。
大人だから他国のにしないチョイス
陸自の90
遊んでみた
いつの時代の?
最新型!?
→コドモ的には最新型がツボだった模様。砲身を上げすぎたり下げすぎたりすると命中判定が出なくてリアル。…あと、敵にたえず砲口向けてないと負けますね…
林間学校帰りのムス×(レギュラー)
ざぶとん
☆は実車取材は泥地のヒトマルを見ることが多かったのですが、天気がよくて泥はね再現できず残念でした。
この記事描く間

お父さん新しい方ね
レギュラー

日本一の山、富士山
デフォルメミニチュアです
デフォルメしないと大へんなサイズになってしまいます
圧縮してます
宝永噴火口。江戸時代の宝永4年(1707年)に大噴火。江戸の町も煙で暗くなったそうです。
崩れたり噴火したり
何十万年もかけて、美しい現在の形になっています
その時にできたのが宝永山。
御殿場から見る富士山は荒々しい。
富士川SAは撮影スポットとして有名ですね。
このへんを新幹線
このへん箱根～芦の湖
ふもとから富士山が見えない
あしたか山
駿河湾
愛鷹山・箱根山は省略！
夏の富士 茶色
初めて夏の富士山見てびっくりしました。
ふもとの森が緑色の季節だったら夏の富士山なんでしょうが、そこはイメージ重視で…

第4章

④モケイ人生の完成

《模型のお仕事一覧》

市販の模型を購入、組み立てるなかで得たひらめきを絵に描きとめてきた著者であるが、いつしか模型それ自体の仕事を手がけることになる。模型の沼、果たしてそれには底があるのだろうか……。

WORLD TANK
MUSEUM
このライン
ナップは
Ⅳ号D型
38(t)
M3リー
この

2000年代初頭に大ブームとなった海洋堂の食玩『ワールドタンクミュージアム』（以下ＷＴＭ）。封入されたモリナガさん画の解説書で、戦車の基礎知識を知った方も多いだろう。2013年から展開された『ＷＴＭキット』シリーズでも解説書を担当。第５弾ではボックスアートとして進行していたが（左）諸事情によりボツ……構図を変更して解説書に転用された（右）。

Ⅳ号戦車は7.5cm砲を積んだ
支援戦車として作られた。
大きめ。だから拡張の
余地があったのだ。
終戦まで使われる
Ⅳ号戦車
(D型)
ボコン
増加
装甲
初代は
1937年。
改良(?)され
つづけたけど
基本は同じ。
ちょっと不安な
3.7cm砲
38[t]
戦車
M3リー
中戦車
何とか75ミリ砲を
積みたかった。
武装いっぱいだ!
← 37ミリ砲
車長キューポラにも!(回る)
75ミリ砲
電撃戦の花形だけど、ドイツ製ではなく併合した
チェコの戦車。38[t]のtはチェコの意味。
ここにも
2丁
あった。
砲塔の後ろに入る
工具箱。スペースの
都合とはいえ
何だかマニアック。
装甲インフレ前だから
薄め。貫通孔を直した
写真よく
見る。
7人乗り。
有名なM4中戦車が作られ
はじめたので、あっという間に生産
終了する。でもアメリカだからたくさんできる。

WORLD TANK
MUSEUM KIT
VOL.5
全9種類+???
M3 LEE
1/144Scale
38(t)戦車

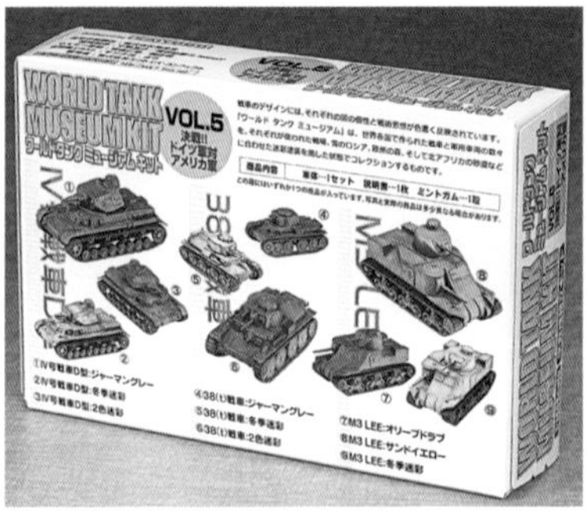
WORLD TANK
MUSEUM KIT
ワールドタンクミュージアムキット
VOL.5
決戦!!
ドイツ軍対
アメリカ軍
①Ⅳ号戦車D型:ジャーマングレー
②Ⅳ号戦車D型:冬季迷彩
③Ⅳ号戦車D型:2色迷彩
④38(t)戦車:ジャーマングレー
⑤38(t)戦車:冬季迷彩
⑥38(t)戦車:2色迷彩
⑦M3 LEE:オリーブドラブ
⑧M3 LEE:サンドイエロー
⑨M3 LEE:冬季迷彩

かつてのWTMは塗装済み完成品だったが、このシリーズは車種も新たに塗装済み組み立てキットとして販売された（全9種／1個500円／税抜き）。
2019年発売のVOL.5以外に、2013~2017年までに四種が発売された（VOL.1：ドイツ電撃戦編1940、VOL.2：陸上自衛隊編 最新装備車両、VOL.3：第二次世界大戦 日本軍戦車、VOL.4：ドイツ機甲師団アルデンヌ1944）。

【初出：海洋堂／エフトイズ・コンフェクト　2019年7月発売［ワールドタンクミュージアムキット　VOL.5］】

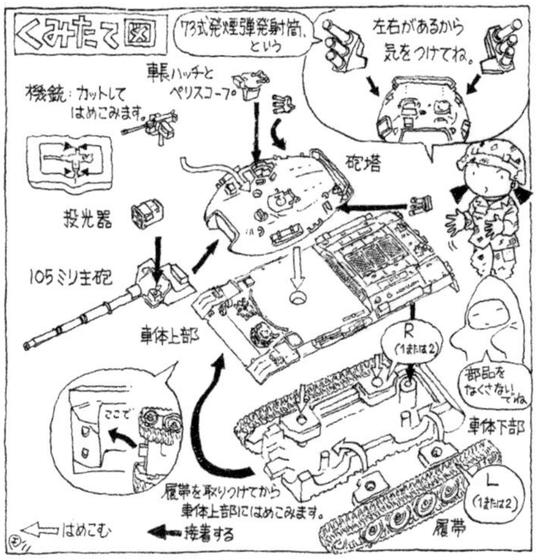
くみたて図
73式発煙弾発射筒、という
左右があるから気をつけてね。
車長ハッチとペリスコープ
機銃：カットしてはめこみます。
砲塔
投光器
105ミリ主砲
車体上部
R（1または2）
部品をなくさないでね
車体下部
ここで
履帯を取りつけてから車体上部にはめこみます。
L（1または2）
履帯
はめこむ
接着する

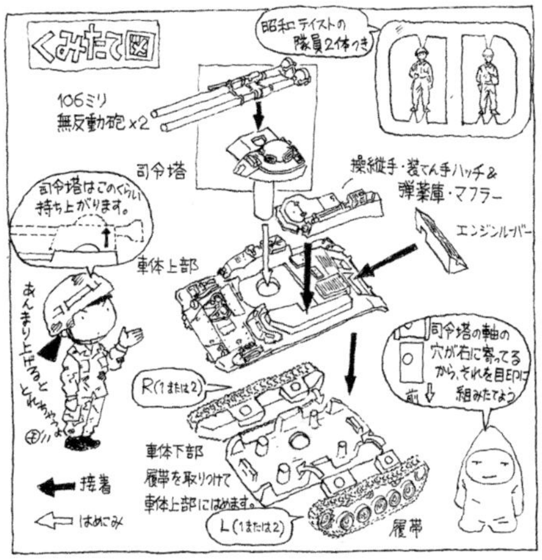
くみたて図
昭和テイストの隊員2体つき
106ミリ無反動砲×2
司令塔
操縦手・装てん手ハッチ＆弾薬庫・マフラー
司令塔はこのくらい持ち上がります。
エンジンルーバー
車体上部
あんまり上げるととれちゃうよ
司令塔の軸の穴が右に寄ってるから、それを目印に組みたてよう
前
R（1または2）
車体下部
履帯を取りつけて車体上部にはめます。
接着
はめこみ
L（1または2）
履帯

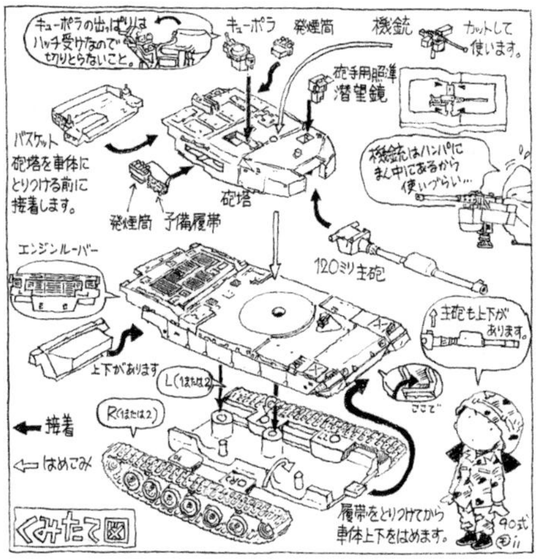
キューポラの出っぱりはハッチ受けなので切りとらないこと。
キューポラ
発煙筒
機銃
カットして使います。
砲手用照準潜望鏡
バスケット
砲塔を車体にとりつける前に接着します。
機銃はハンパにまん中にあるから使いづらい…
砲塔
発煙筒
予備履帯
エンジンルーバー
120ミリ主砲
主砲も上下があります。
上下があります
L（1または2）
R（1または2）
ここで
接着
はめこみ
くみたて図
履帯をとりつけてから車体上下をはめます。
90式

無反動砲は上下に動かせます。
まちぶせ〜

見たもん。
車内は白色です

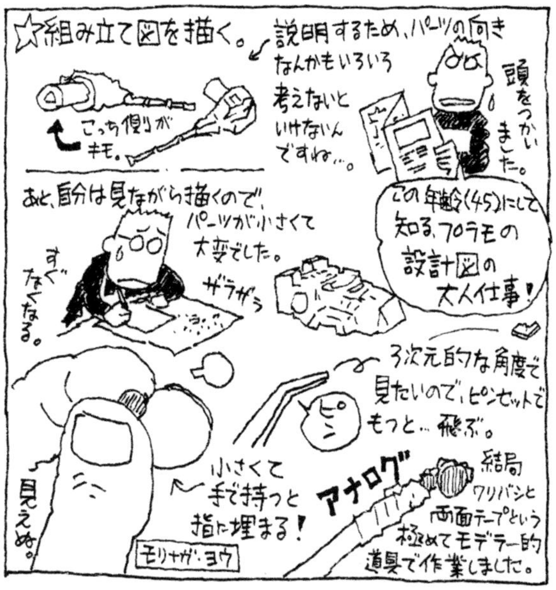
☆組み立て図を描く。
説明するため、パーツの向きなんかもいろいろ考えないといけないんですね…。
頭をつかいました。
こっち側がキモ。
あと、自分は見ながら描くので、パーツが小さくて大変でした。
すぐなくなる。
ザラザラ
この年齢（45）にして知る、プラモの設計図の大人仕事！
3次元的な角度で見たいので、ピンセットでもつと…飛ぶ。
ピン
見えぬ。
小さくて手で持つと指に埋まる！
アナログ
結局ワリバシと両面テープという極めてモデラー的道具で作業しました。
モリナガ・ヨウ

投光器は内部シャッターで光量調節できる。
ズビーム

右頁の塗装済み組み立てキット版発売の直前、2012年に既存のＷＴＭを未塗装のパーツ状態で『プラモデル』として販売された。それまでプラモデルの工作を図解する立場のモリナガさんが、ついに商品の組み立て図を描くことに。Vol.1、2は陸上自衛隊車両６種、Vol.3は現用戦車３種を手がけた。右中の『☆組み立て図を描く』には、初めてプラモの仕事に挑戦した際の苦悩がみてとれる（初出は『アーマーモデリング』2012年４月号）。

KAIYODO
あの「ワールドタンクミュージアム」が組立キットで登場！
陸上自衛隊戦車 Vol.1
プラモデル
WORLD TANK MUSEUM KIT

プラモデル
WORLD TANK MUSEUM
90式戦車

宮脇センムのこだわりで、むかしの駄菓子屋の店頭に吊るされていた小袋入りのプラモの雰囲気を出そうと、台紙に小袋入り商品を貼付したスタイル。成形色は４色で、各小袋の台紙の裏面が組み立て図、表面はカラー図と解説文を掲載。1個300円（税込）、12個入りのシートは3600円（税込）だった。ヘッダーのイラストはミリタリー画のベテラン、上田 信画伯によるもの。

【初出：海洋堂／ユニオンクリエイティブインターナショナル　2012年3月発売［プラモデル／ワールドタンクミュージアムキット　陸上自衛隊編Vol.1］】

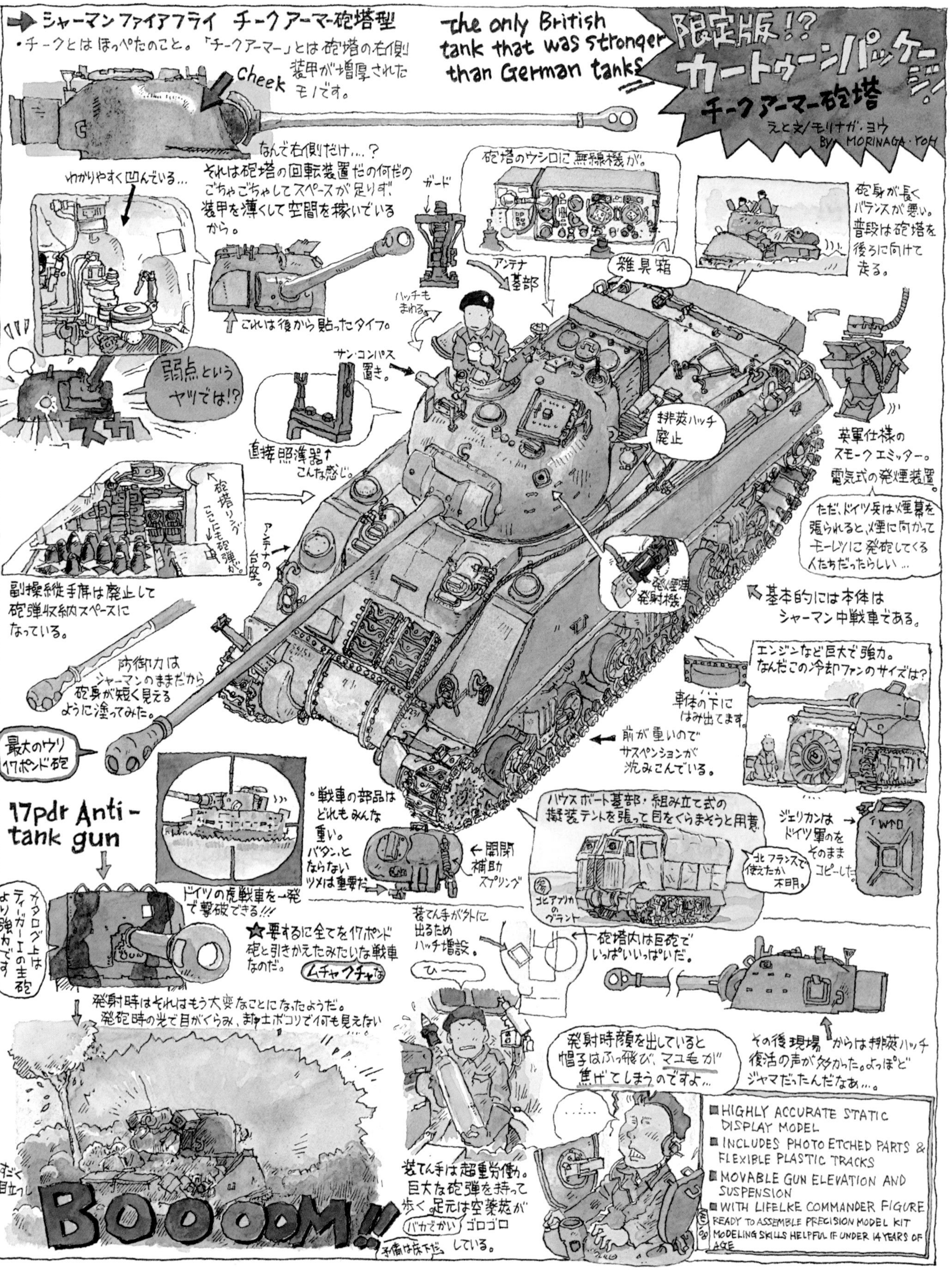
シャーマンファイアフライ　チークアーマー砲塔型
・チークとは ほっぺたのこと。「チークアーマー」とは 砲塔の右側装甲が増厚されたモノです。
Cheek
the only British tank that was stronger than German tanks
限定版!? カートゥーンパッケージ!
チークアーマー砲塔
えと文/モリナガ・ヨウ
BY MORINAGA・YOH
なんで右側だけ…？
それは砲塔の回転装置だの何だのごちゃごちゃしてスペースが足りず、装甲を薄くして空間を稼いでいるから。
わかりやすく凹んでいる…
これは後から貼ったタイプ。
ガード
砲塔のウシロに無線機が。
アンテナ基部
砲身が長くバランスが悪い。普段は砲塔を後ろに向けて走る。
雑具箱
ハッチもまわる。
サン・コンパス置き。
弱点というヤツでは!?
スカ
直接照準器↑こんな感じ。
排莢ハッチ廃止
英軍仕様のスモークエミッター。電気式の発煙装置。
ただ、ドイツ兵は煙幕を張られると、煙に向かってモーレツに発砲してくる人たちだったらしい…
砲塔リング
ここにも砲弾が。
アンテナの台座。
発煙弾発射機
副操縦手席は廃止して砲弾収納スペースになっている。
基本的には本体はシャーマン中戦車である。
防御力はシャーマンのままだから砲身が短く見えるように塗ってみた。
エンジンなど巨大で強力。なんだこの冷却ファンのサイズは？
車体の下にはみ出てます。
前が重いのでサスペンションが沈みこんでいる。
最大のウリ17ポンド砲
17pdr Anti-tank gun
・戦車の部品はどれもみんな重い。バタンとならないツメは重要だ
←開閉補助スプリング
ハウスボート基部・組み立て式の擬装テントを張って目をくらまそうと用意
北フランスで使えたか不明。
北アフリカのグラント
ジェリカンはドイツ軍のをそのままコピーした。
WD
ドイツの虎戦車を一発で撃破できる!!!
カタログ上はティーガーⅠの主砲より強力です
☆要するに全てを17ポンド砲と引きかえたみたいな戦車なのだ。
ムチャクチャな
装てん手が外に出るためハッチ増設。
ひ——
砲塔内は巨砲でいっぱいいっぱいだ。
発射時はそれはもう大変なことになったようだ。
発砲時の光で目がくらみ、土ボコリで何も見えない
すごく目立つし
BOOOOM!!
装てん手は超重労働。巨大な砲弾を持って歩く足元は空薬莢がゴロゴロしている。
バカでかい
予備は床下だ
発射時顔を出していると帽子はふっ飛び、マユ毛が焦げてしまうのですよ…
……
その後現場からは排莢ハッチ復活の声が多かった。よっぽどジャマだったんだなあ…。
HIGHLY ACCURATE STATIC DISPLAY MODEL
INCLUDES PHOTO ETCHED PARTS & FLEXIBLE PLASTIC TRACKS
MOVABLE GUN ELEVATION AND SUSPENSION
WITH LIFELKE COMMANDER FIGURE
READY TO ASSEMBLE PRECISION MODEL KIT
MODELING SKILLS HELPFUL IF UNDER 14 YEARS OF AGE
モ
'08

【タスカモデリズモ／ 1/35スケール インジェクションプラスチックモデル用ボックスアート／ 2008年】
★まんが箱ファイアフライを出したら外国人のお客さんに「なんと書いてあるのか？」と言われたそうです。なのでM4A1（次頁）は英文表記に。翻訳は老父に頼みました。（モ）

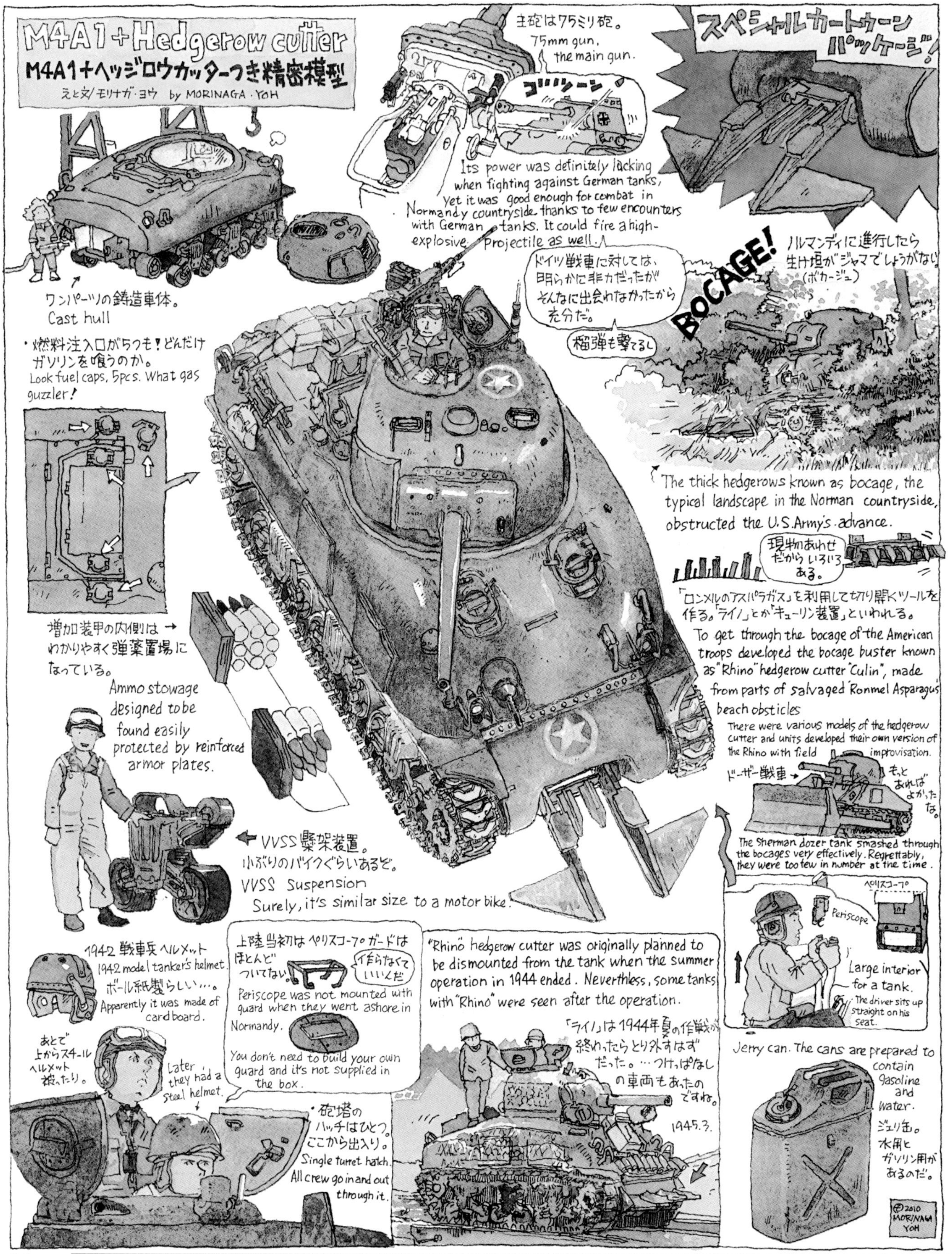
M4A1+Hedgerow cutter
M4A1+ヘッジロウカッターつき精密模型
えと文/モリナガ・ヨウ by MORINAGA・YOH
ワンパーツの鋳造車体。
Cast hull
主砲は75ミリ砲。
75mm gun, the main gun.
ゴツーン
Its power was definitely lacking when fighting against German tanks, yet it was good enough for combat in Normandy countryside thanks to few encounters with German tanks. It could fire a high-explosive projectile as well.
ドイツ戦車に対しては、明らかに非力だったが そんなに出会わなかったから 充分だ。
榴弾も撃てるし
スペシャルカートゥーンパッケージ!
BOCAGE!
ノルマンディに進行したら 生け垣がジャマでしょうがない (ボカージュ)
The thick hedgerows known as bocage, the typical landscape in the Norman countryside, obstructed the U.S.Army's advance.
現物あわせだから いろいろある。
「ロンメルのアスパラガス」を利用して切り開くツールを作る。「ライノ」とか「キューリン装置」といわれる。
To get through the bocage of the American troops developed the bocage buster known as "Rhino" hedgerow cutter "Culin", made from parts of salvaged 'Ronmel Asparagus' beach obsticles
There were various models of the hedgerow cutter and units developed their own version of the Rhino with field improvisation.
ドーザー戦車→
もっとあればよかったな。
The Sherman dozer tank smashed through the bocages very effectively. Regrettably, they were too few in number at the time.
・燃料注入口が5つも!どんだけガソリンを喰うのか。
Look fuel caps, 5pcs. What gas guzzler!
増加装甲の内側は→ わかりやすく弾薬置場になっている。
Ammo stowage designed to be found easily protected by reinforced armor plates.
←VVSS懸架装置。小ぶりのバイクぐらいあるぞ。
VVSS Suspension
Surely, it's similar size to a motor bike.
1942 戦車兵ヘルメット
1942 model tanker's helmet.
ボール紙製らしい…。
Apparently it was made of cardboard.
あとで上からスチールヘルメット被ったり。
Later they had a steel helmet.
上陸当初はペリスコープガードはほとんどついてない。
作らなくていいんだ
Periscope was not mounted with guard when they went ashore in Normandy.
You don't need to build your own guard and it's not supplied in the box.
・砲塔のハッチはひとつ。ここから出入り。
Single turret hatch. All crew go in and out through it.
"Rhino" hedgerow cutter was originally planned to be dismounted from the tank when the summer operation in 1944 ended. Neverthless, some tanks with "Rhino" were seen after the operation.
「ライノ」は1944年夏の作戦が終わったらとり外すはずだった。…つけっぱなしの車両もあったのですね。
1945.3.
ペリスコープ
Periscope
Large interior for a tank.
The driver sits up straight on his seat.
Jerry can. The cans are prepared to contain gasoline and water.
ジェリ缶。水用とガソリン用があるのだ。
©2010 MORINAGA YOH

【タスカモデリズモ/ 1/35スケール インジェクションプラスチックモデル用ボックスアート/ 2010年】
★元はプラモデルのボックスいっぱいのサイズなので、単行本サイズだとみっちりですね。(モ)

British Sherman VC
FIREFLY
w/Cast Cheek armour Turret
tasca
35-011
Unfortunately, its armor protection wasn't improved over the Sherman's...
Some Fireflies had fake muzzle brakes.
Due to its camouflage, its gun looked shorter.
They covered it with spare treads and even logs.
※ところで、どうやって側面に履帯を仕付けしているのか不明なのである…
llustrated by ORINAGA OH ㊣'08
This 17pdr anti-tank gun was desigined to beat German heavy tanks.
The British mounted it on to the chassis of a sherman to develop a tank called the Firefly.
← Sherman
When they loaded shells, they needed to tilt the Tail of the gun at 90° angle.
There was not enough room for a radio, so it stuck out of the back
It's caliber is 76.2mm.
本来は90度上むきで使う砲なのだ。

注意

この製品はプラスチックモデル組立てキットです。
接着剤および塗料は別売りです。
対象年齢14歳以上。
製品の性質上先端のとがった部品があります。
お取り扱いには充分ご注意ください。
接着剤や塗料を使う場合は絶対に近くで火を使わないでください。

CAUTION

READY TO ASSEMBLE PRECSION MODEL KIT.
BOX CONTAINS MODEL KIT OF ONE TANK.
CEMENT AND PAINT NOT INCLUDED.
MODELING SKILLS HELPFUL IF UNDER 14 YEARS OF AGE.
SOM PARTS MAY BE TOO SHARP.
MORE CAUSION AND CARE NEEDED FOR FAMILIES WITH INFANTS.
WHEN USING ADHESIVES AND PAINTS,
DO NOT USE NEAR FIRE TO AVOID FLAMMABILTY.

13th/18th Hussars, 27th Armoured Brigade, July 1944 Normandy
第13/18軽騎兵連隊
第27機甲旅団
1944年6月
ノルマンディ

《実車解説》M4シャーマンは第2次大戦中に総計5万輌近く生産された傑作戦車です。最初に量産が開始されたM4A1は車体上部全体が鋳造製で、M4と同じ航空機用星型エンジンを搭載。後期型では増加装甲の追加や大型化された防盾などを装備し、各部が改良されていきました。ノルマンディ戦時には一部の車輌はヘッジロウカッターと呼ばれる、生垣突破用の装置を車体前面に取り付け内陸部への侵攻を助けました。

《模型要目》M4A1シャーマン75mm砲塔載型の1/35スケールプラスチックモデル組立てキットです。幅広のM34A1砲架を装備し増加装甲を取り付けた後期の姿を模型化。ノルマンディ戦で特徴的なヘッジロウカッターの部品入り。エンジングリルなどにエッチングパーツを使用。防盾基部やフェンダー、エアクリーナーは各2種入り。戦車長の人形一体つき。マーキングはノルマンディ戦時の計3種入り。

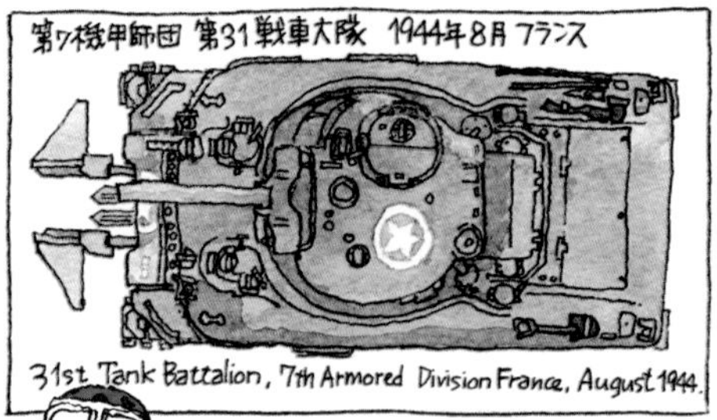
第7機甲師団 第31戦車大隊 1944年8月 フランス
31st Tank Battalion, 7th Armored Division France, August 1944.

1/35 U.S. Medium Tank
M4A1 Sherman
(Late Production w/Hedgerow Cutter)
BOCAGE!
M4A1 Sherman
tasca
35-022

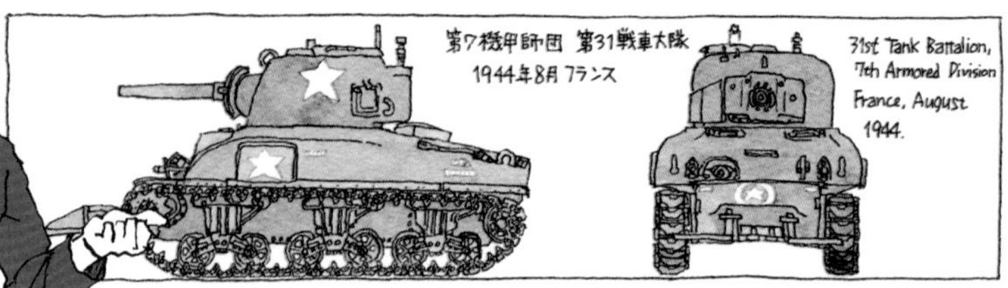
第7機甲師団 第31戦車大隊
1944年8月 フランス
31st Tank Battalion, 7th Armored Division France, August 1944.

・The M4 Sherman tank probably the most famous Allied tank with around 50,000 produced during World War II. The M4A1 was the first production model featuring an entire cast upper hull, powered by an aircraft engine. The latter type is equipped with a gun shield and stronger armor or as add on as well as various parts being improved. Shermans participated in the Normandy invasion, and some were modified by attaching to the front a hedgerow cutter to breakthrough the bocage found inland.

・The M4A1 Sherman Gun with late type 75mm 1/35 assembly kit scale plastic model. The Gun M34A1 mount was wider than the earlier models and was equipped extra attached armor. This model includes a hedgerow cutter used in Normandy Etching parts for Grille and engine. Includes two types of fender, gun mount, and air cleaner. Includes figure and has three different markings for Shermans that served in Normandy.

【初出:タスカモデリズモ　2008年発売［1/35 シャーマンVC ファイアフライ チークアーマー砲塔型］、2010年発売［1/35 アメリカ中戦車 M4A1 シャーマン後期型（ヘッジローカッター付き）］】
★これらの書き文字はほぼ一発書き。長年の経験でしょうか。（モ）　★ファイアフライ、M4A1ともに現在はアスカモデルより発売中。

【初出：フジミ模型　2017年11月発売【ちび丸ミリタリーシリーズNo.1　10式戦車 ノーマル／ドーザー付き選択式】／2017年5月発売【ちび丸ミリタリーシリーズNo.8 ティーガーIアフリカ仕様#131】】
★自分デザインのデフォルメではないため、模型のデザインを忠実に描写するのを心がけました。影の落ち方は日なたに置いてスケッチしました。細部は模型本体より楽しく描き込み。（モ）

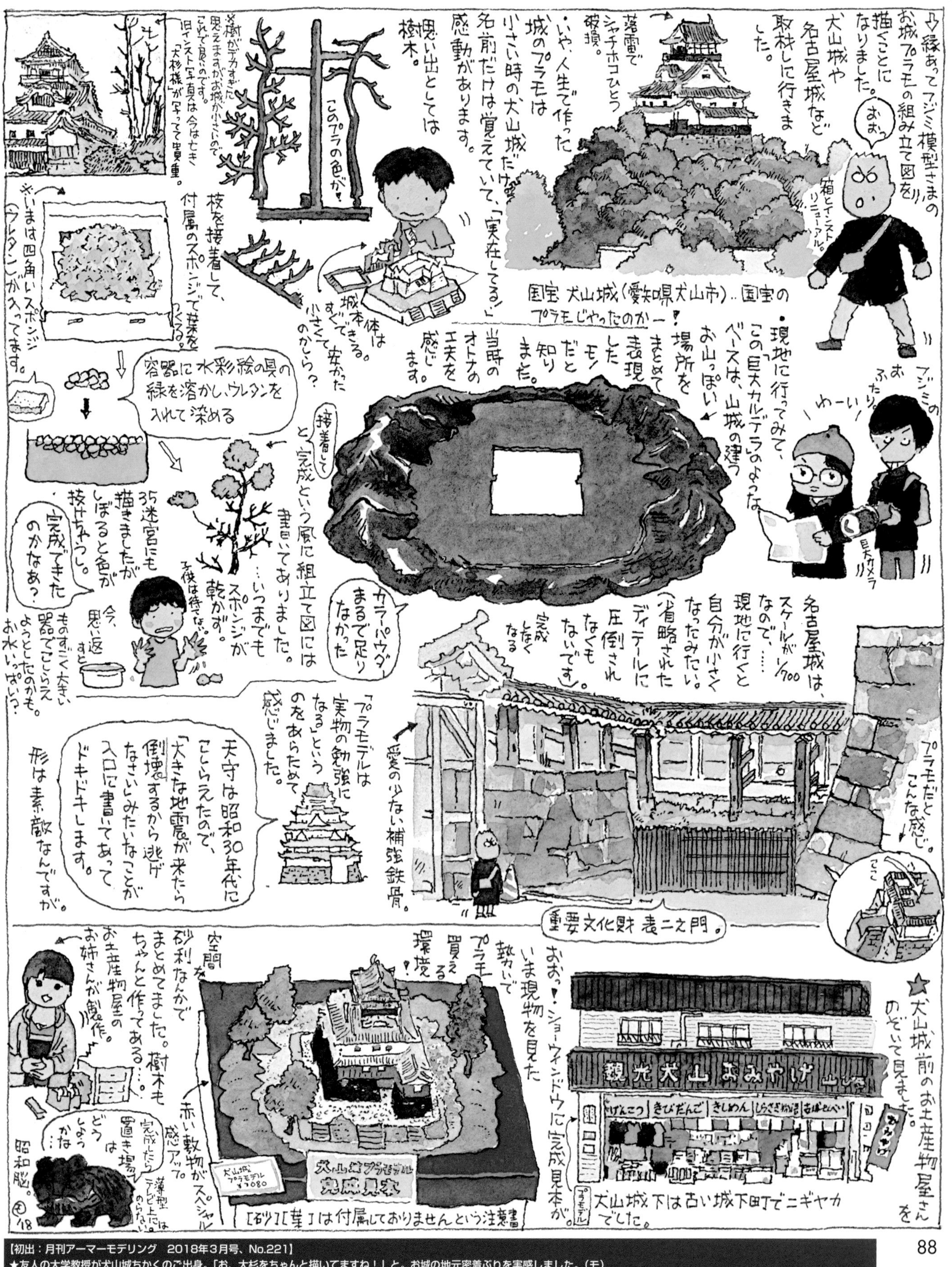

⇩縁あってフジミ模型さまのお城プラモの組み立て図を描くことになりました。
犬山城や名古屋城など取材しに行きました。
おおっ
箱とインストリニューアル。
落雷でシャチホコひとつ破損。
・いや、人生で作った城のプラモは小さい時の犬山城だけ名前だけは覚えていて、「実在してる！」感動があります。
思い出としては樹木。
このプラの色が！
※樹がデカすぎに思えますがお城が小さいのでこれで良いのです。
旧インスト写真は今はなき「大杉様」が写ってて貴重。
国宝 犬山城（愛知県犬山市）..国宝のプラモじゃったのかー！
城本体はすぐできる。
小さくて安かったのかしら？
枝を接着して、付属のスポンジで葉をつくる。
※いまは四角いスポンジ（ウレタン）が入ってます。
容器に水彩絵の具の緑を溶かし、ウレタンを入れて染める
接着して
と、完成という風に組立て図には書いてありました。
…いつまでもスポンジが乾かず。
子供は待てない。
35迷宮にも描きましたがしぼると色が抜けちゃうし。
完成できたのかなあ？
今、思い返すと
ものすごく大きい器でこしらえようとしたのかも。お水いっぱい？
・現地に行ってみて、「この巨大カルデラ」のようなベースは、山城の建つお山っぽい場所をまとめて表現したモノだと知りました。
当時のオトナの工夫を感じます。
フジミのおふたり。
わーい！
巨大カメラ
カラーパウダーまるで足りなかった
名古屋城は、スケールが1/700なので、……現地に行くと自分が小さくなったみたい。（省略されたディテールに圧倒されなくもないです）。
完成しなくなる
プラモだとこんな感じ。
ここ
愛の少ない補強鉄骨。
重要文化財 表二之門。
「プラモデルは実物の勉強になる」というのをあらためて感じました。
天守は昭和30年代にこしらえたので、「大きな地震が来たら倒壊するから逃げなさい」みたいなことが入口に書いてあってドキドキします。
形は素敵なんですが。
★犬山城前のお土産物屋さんをのぞいて見ました。
観光犬山おみやげ
げんこつ
きびだんご
きしめん
しらさぎ物語
おみやげ
犬山城下は古い城下町でニギヤカでした。
おおっ！ショーウインドウに完成見本が。
プラモデル
いま現物を見た勢いでプラモ買える環境！
空間を砂利なんかでまとめてました。ちゃんと作ってある……。樹木もお土産物屋のお姉さんが製作。
赤い敷物がスペシャル感アップ。
犬山城プラモデル
完成見本
［砂］［葉］は付属しておりませんという注意書
完成したら置き場はどうしようかな…
薄型テレビ上にはのらない。
昭和脳。

【初出：月刊アーマーモデリング　2018年3月号、No.221】
★友人の大学教授が犬山城ちかくのご出身。「お、大杉をちゃんと描いてますね！」と。お城の地元密着ぶりを実感しました。（モ）

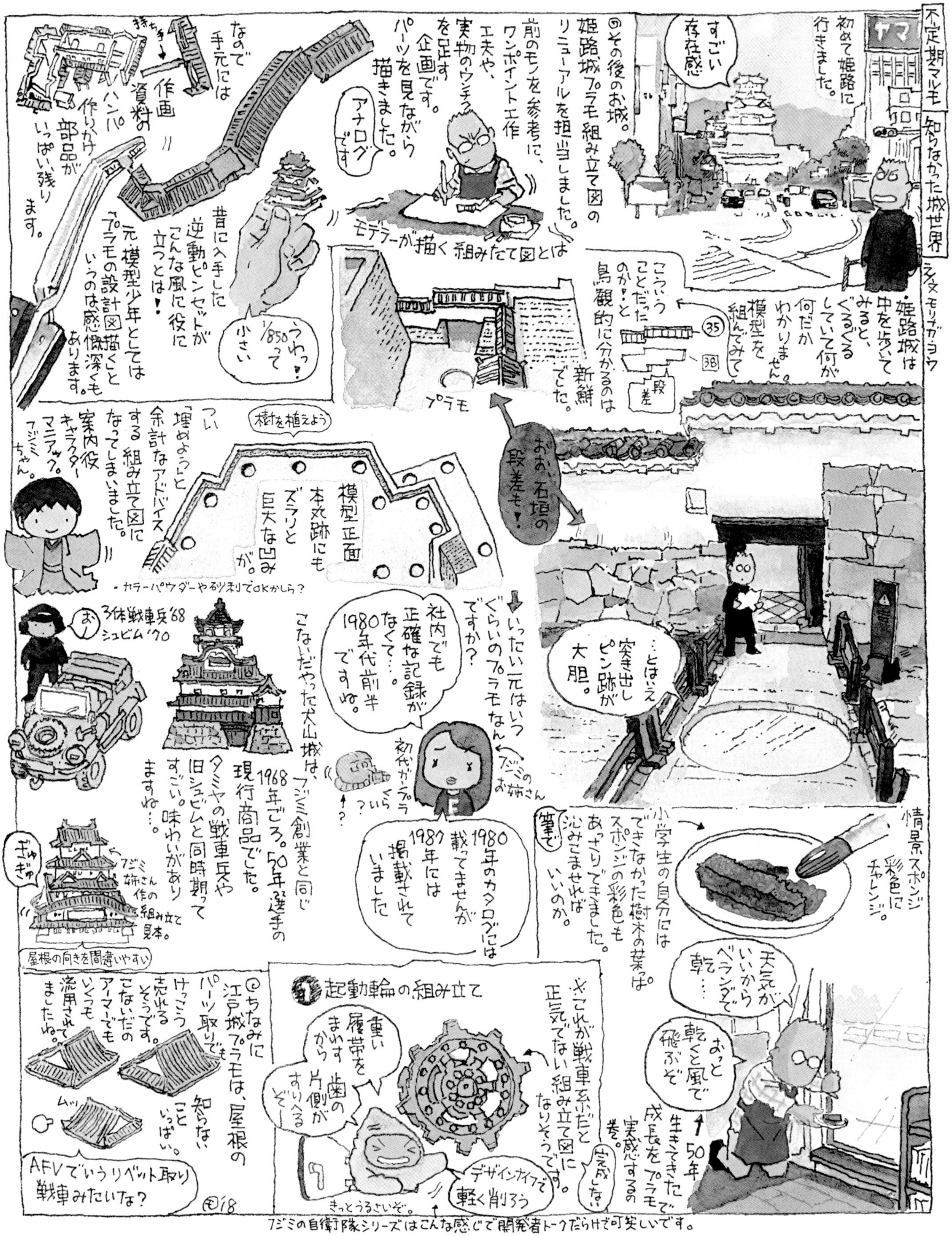

不定期マルモ
知らなかった城世界
ええ文 モリナガ・ヨウ
初めて姫路に行きました。
ヤマ
すごい存在感
•姫路城は中を歩いてみると、ぐるぐるしていて何が何だかわかりません。
模型を組んでみて
㉟
38
こういうことだったのか!と鳥観的に分かるのは新鮮でした。
段差
◎その後のお城。姫路城プラモ組み立て図のリニューアルを担当しました。
前のモノを参考に、ワンポイント工作、工夫や、実物のウンチクを足す企画です。
パーツを見ながら描きました。
アナログです
モデラーが描く組みたて図とは
なので手元には作画資料のハンパ作りかけ部品がいっぱい残ります。
持ち手
昔に入手した逆動ピンセットがこんな風に役に立つとは!
元模型少年としてはプラモの設計図描くというのは感慨深くもあります。
うわっ!1/850って小さい
プラモ
おお、石垣の段差も!
…とはいえ突き出しピン跡が大胆。
樹を植えよう
模型正面本丸跡にもズラリと巨大な凹みが。
つい「埋めよう」と余計なアドバイスする組み立て図になってしまいました。
案内役キャラクターマニアック。フジミちゃん。
•カラーパウダーや砂利でOKかしら?
いったい元はいつぐらいのプラモなんですか?
社内でも正確な記録がなくて…。1980年代前半ですね。
フジミのお姉さん
初代ガンプラくらい?
?
1980年のカタログには載ってませんが1987年には掲載されていました
こないだやった犬山城は、フジミ創業と同じ1968年ごろ。50年選手の現行商品でした。
タミヤの戦車兵や旧シュビムと同時期ってすごい。味わいがありますね…。
おっ
3体戦車兵'68
シュビム'70
ぎゅぎゅ
フジミ姉さん作の組み立て見本。
屋根の向きを間違いやすい
情景スポンジ彩色にチャレンジ。
小学生の自分にはできなかった樹木の葉っぱスポンジの彩色もあっさりできました。
筆で
沁みこませればいいのか。
天気がいいからベランダで乾…
おっと乾くと風で飛ぶぞ
50年生きてきた成長をプラモで実感するの巻。
※これが戦車系だと正気でない組み立て図になりそうです。
完成しないな。
①起動輪の組み立て
重い履帯をまわすから歯の片側がすりへるぞ〜
デザインナイフで軽く削ろう
きっとうるさいぞ。
◎ちなみに江戸城プラモは、屋根のパーツ取りでもけっこう売れるそうです。
こないだのアーマーでもいくつも流用されてましたね。
ムッ
知らないこといっぱい。
AFVでいうリベット取り戦車みたいな?
モ'18
フジミの自衛隊シリーズはこんな感じで開発者トークだらけで可笑しいです。

【初出：月刊アーマーモデリング 2018年6月号、No.224】

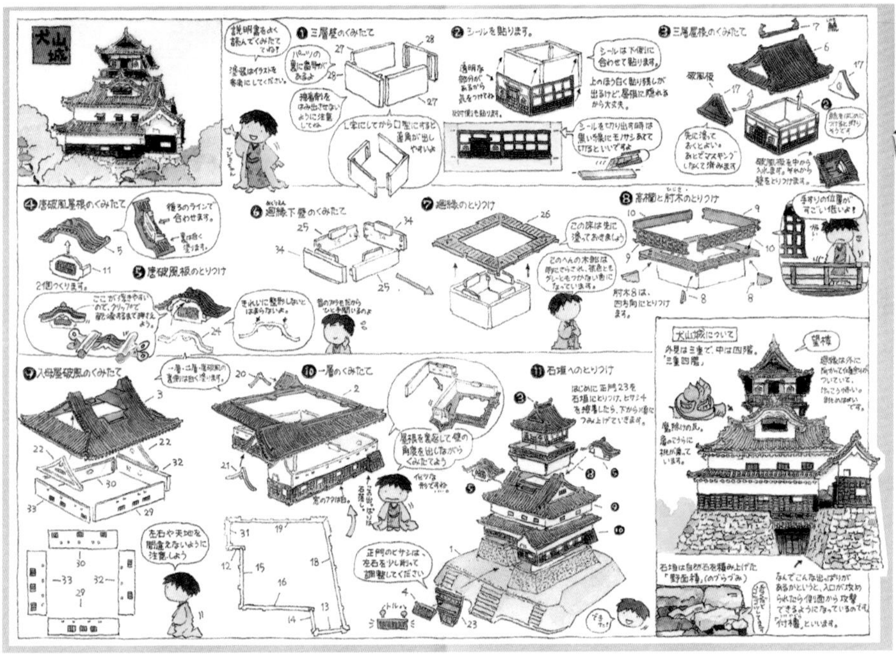

モリナガ・ヨウ氏の解説付き説明書が付属！

モリナガ・ヨウ氏の解説付き説明書が付属！

組み立て図を新たに起こすにあたり、モリナガさんなりの工程が付加されている。フジミちゃんの衣装も城に合わせて微妙に変化しているのに注意♡

この二つ以外に、小倉城（名城2：1/400）、大阪城（名城4：1/700）、姫路城（名城5：1/850）、江戸城（名城7：1/800）を手がけている。

【初出：フジミ模型　2018年3月発売［名城シリーズ3 1/300 犬山城］、2018年2月発売［名城シリーズ6 1/700 名古屋城］】
★再建工事中の熊本城以外、フジミ模型のお城はすべて現地取材をしたことになります。（モ）

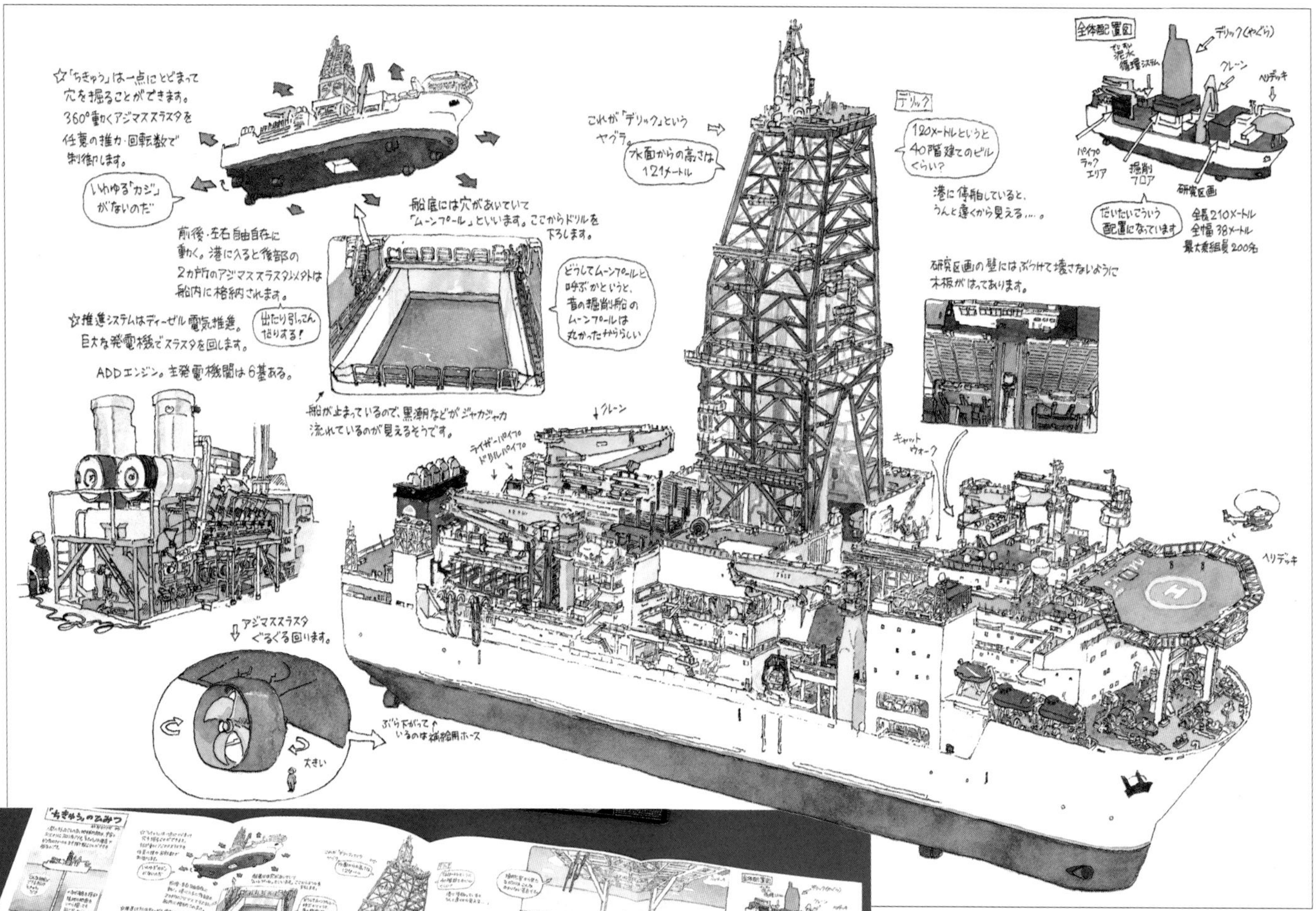
☆「ちきゅう」は一点にとどまって
穴を掘ることができます。
360°動くアジマススラスタを
任意の推力・回転数で
制御します。
いわゆる「カジ」
がないのだ
前後・左右自由自在に
動く。港に入ると後部の
2カ所のアジマススラスタ以外は
船内に格納されます。
出たり引っこんだりする!
☆推進システムはディーゼル電気推進。
巨大な発電機でスラスタを回します。
ADDエンジン。主発電機関は6基ある。
船底には穴があいていて
「ムーンプール」といいます。ここからドリルを
下ろします。
どうしてムーンプールと
呼ぶかというと、
昔の掘削船の
ムーンプールは
丸かったかららしい
船が止まっているので、黒潮などがジャカジャカ
流れているのが見えるそうです。
これが「デリック」という
ヤグラ。
水面からの高さは
121メートル
デリック
120メートルというと
40階建てのビル
くらい?
港に停泊していると、
うんと遠くから見える…。
全体配置図
デリック(やぐら)
泥水《でいすい》
循環システム
クレーン
ヘリデッキ
パイプラックエリア
掘削フロア
研究区画
だいたいこういう
配置になっています
全長210メートル
全幅 38メートル
最大乗組員200名
研究区画の壁にはぶつけて壊さないように
木板がはってあります。
↓クレーン
ライザーパイプ
ドリルパイプ
キャットウォーク
ヘリデッキ
アジマススラスタ
ぐるぐる回ります。
ぶら下がっているのは補給用ホース
大きい

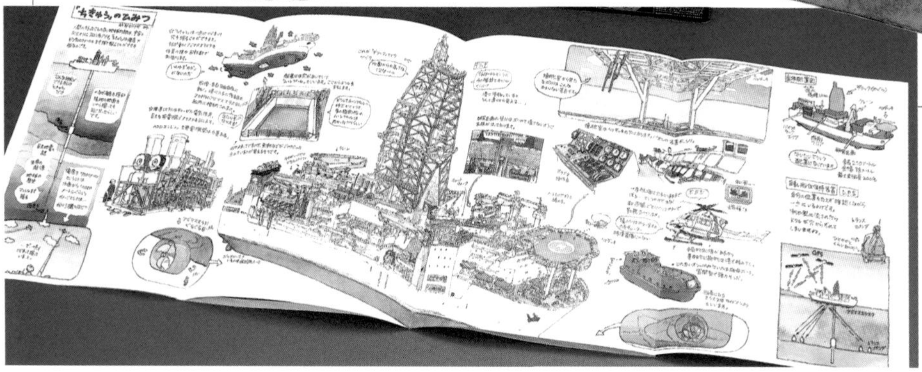

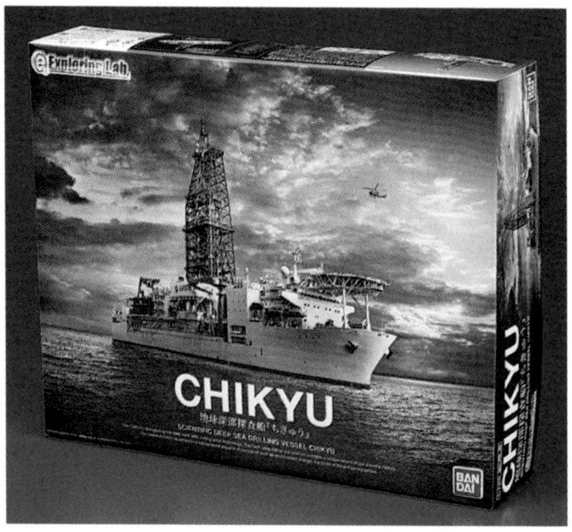
Exploring Lab.
CHIKYU
地球深部探査船「ちきゅう」
SCIENTIFIC DEEP SEA DRILLING VESSEL CHIKYU
BANDAI
CHIKYU

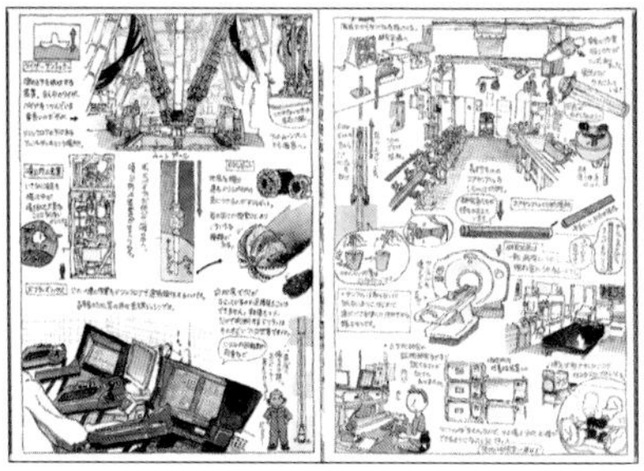

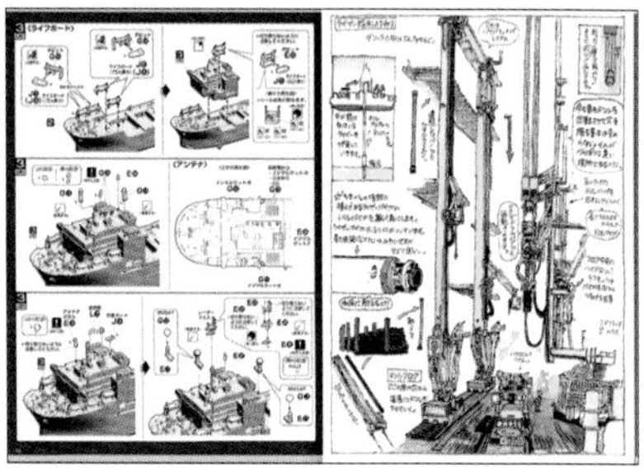

組み立て説明書のセンターに、8頁にわたって（観音開き）モリナガさんの丹念な取材に基づく『ちきゅう』図解が収録されており、キットの工作で船の構造を知るのと同時に『ちきゅう』の科学調査を学べてしまうのである。指先から知識を得るというプラモデルの本質が詰まった優良知育模型だ。

本船最大の特徴である船体中央にそびえる掘削やぐらは一体成形で再現、色分けされた部品により、未塗装でも右のような状態にすることが可能（完成品画像提供：BANDAI SPIRITS ©JAMSTEC）。

JAMSTEC
地球深部探査船「ちきゅう」

【初出：バンダイ（現：BANDAI SPIRITS） 2012年11月発売［Exploring Lab. 1/700 地球深部探査船『ちきゅう』 協力・監修：海洋研究開発機構（JAMSTEC）】
★東京スカイツリー絵本の直後で、またこんな鉄骨仕事!? と目まいがしたのを覚えています。（モ）

たんなる懐かしの銀座の街角を再現したジオラマではなく、走る都電や雑踏の動き、昭和30年代の音や光をも再現した豪華仕様で、発売価格は198,000円（税込）だった（※現在では販売されていません）。
モリナガさんの筆による新聞一面サイズの『昭和30年代 銀座マップ』が購入特典として作成された（残念ながらこの巨大原画は、2011年の東日本大震災で破損し現存しない）。

海洋堂・宮脇修一社長（センム）の還暦祝賀パーティーが2017年６月30日、大阪にて盛大に開かれた。その際、招待客に配られた引き出物の一つが、この『60式戦務』（全高200mm、ソフトビニール製、非売品）。モリナガさんはボックスアートを描かされるハメに。とはいえ、アホなことを模型でとことん表現した、これぞ海洋堂魂ともいえる逸品となった。

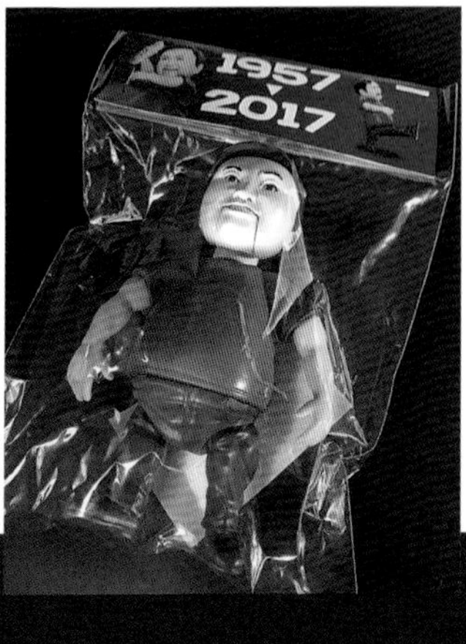

上：【初出：バンダイ　2009年４月発売［昭和銀座ジオラマ］】
下：【初出：海洋堂　2017年６月30日頒布［ソフトビニール製60式戦務］】
★センムの箱は、わざと古びた仕上がりになっていて可笑しいです。（モ）

モリナガ・ヨウの立体図解
富士山
KAIYODO

モリナガさんがデザインとボックスアートを手がけた富士山のデフォルメモデル。直径200mmのポリストーン製、塗装済み完成品で、価格は3,611円（税抜き）。解説書が封入されている。個人的にはこんな感じで日本列島が欲しかった。

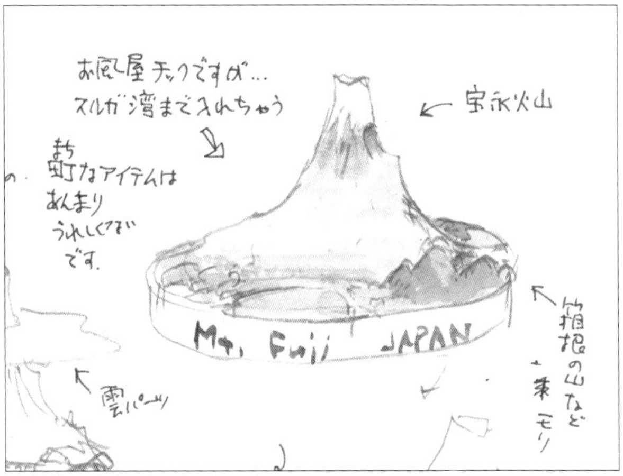

お風屋チックですが…
スルガ湾まで入れちゃう
宝永火山
なアイテムは
あんまり
うれしくないです。
Mt. Fuji JAPAN
箱根の山など
雲パーツ

日本最高峰富士山剣ヶ峰
剣ヶ峰が3776m。
@山頂をひとまわりするのを「お鉢めぐり」といいます。
昔、登ったことがありますが、けっこう怖かったです。
山頂にあったレーダードームは、今はふもとの富士吉田市で保存・展示されています。
岩ばっかり。
くも
大沢崩れ。浸食によって谷ができています。
ふもとには大きな扇状地が作られています。
青木ヶ原樹海。
平安時代の噴火で溶岩が流れ下り、湖を分断
山中湖から見ると「肩をいからせている」そうです。
時間たつと崩れきっちゃうの？
この形になるまで2500年かかりだよ
山中湖
長いトンネルがありますね。
河口湖
西湖
本栖湖
1000円札に描かれた富士山はこの本栖湖からの眺め。
昔は「休火山」と言いましたが、今は活火山と言います。富士山は生きているんですね。
あれっ富士四湖しかない…
入りきらなかったのです

『カプセルQミュージアム』のアイテムとして、スズキの人気軽自動車ハスラーとジムニーをデフォルメ仕様でモデル化。モリナガさんのセンスが見事に活かされたシリーズといえよう。各８色のバリエーションがある。価格は１個580円。

HUSTLER

上：【初出：海洋堂　2015年3月発売［【モリナガ・ヨウの立体図鑑】KD-001 富士山］】
下：【初出：海洋堂　2019年8月発売［miniQ スズキデフォルメ軽自動車【ジムニー編】］、2019年7月発売［miniQ スズキデフォルメ軽自動車【ハスラー編】］
★富士山とminiQはモリナガ氏がデフォルメアレンジを担当。

模型屋10軒分のおもしろさ!!

ものをつくる楽しさ、
ものを知る楽しさを、
こんなに豊かに表現
できる人を、私は他に
知りません。親子で
お世話になってます!

―ヨシタケシンスケ
（絵本作家）

ヨシタケシンスケ

◉1973年神奈川県生まれ。2013年に絵本作家デビュー。シンプルかつ暖かみある筆致で、日常における人の営みを鋭く深く描き出す作風が親しまれている。モリナガ作品の愛読者でもあり、月刊『MOE』（白泉社）2020年1月号誌上での絵本対談にてモリナガさんと初対面しその作風を絶賛。そんな良縁もあり今回、ファンのひとりとして第3集へのメッセージを贈ってくださった。
『りんごかもしれない』（ブロンズ新社）、『りゆうがあります』（PHP研究所）、『もう ぬげない』（ブロンズ新社）、『なつみはなんにでもなれる』（PHP研究所）、『おしっこちょっぴりもれたろう』（PHP研究所）でMOE絵本屋さん大賞五冠達成、また『つまんない つまんない』（白泉社）で2019年ニューヨークタイムズ最優秀絵本賞を受賞。

あとがき

『プラモ迷宮日記』も3冊目となります。月刊戦車模型専門誌『アーマーモデリング』の巻末1ページ連載なので、原稿がそれなりに溜まるまでずいぶん時間がかかってしまいました。めくってもめくっても模型の話です。

今回、単行本作業のため、連載とは別にいくつか集中的に模型を組み立てました。普段より少し自覚的に、部品の一つ一つと対話をする感じで。本文にも触れていますが、何十年もプラモを作ってきて、ようやく「縮小模型を作ることは別世界に行くことだった」ということに思い至りました。冒険小説の主人公と同化して異世界で活躍するように、模型工作もミニチュアという別世界に行って冒険していたのです。

最終的に色を塗って作品として仕上げることだけが目標ではなく、組み立てたり切り離したりといったプロセス〜縮小世界を旅すること自体も目的であり楽しみだと思います。戦車の模型の主流は35分の1ですから、人間の身長は5センチくらい。バケツの直径は1センチ弱、蝶ネジは数ミリ。そういう世界に分け入り、人形とともにリアルな車輪を接着したり、溶接跡を発見したり、ハッチの開閉に迷ったり。子供のころはもっと目もよく手も小さかったので、そのまま現実世界と一続きにミニチュア世界に飛び込めました。いまでもピンセットや眼鏡があれば縮小世界に入り込めます。プラモデルを作ることは冒険なのです。

ただこの冒険は、小さい何かの作りこみ競技という意味ではありません。あくまで自分の楽しみとしてやりたいことをやるということです。時間になったら元の世界に帰ってこないといけないのも冒険小説的ですね。

戦車のプラモ、というジャンルも考えてみれば一回こっきりの存在です。さまざまなミニチュアは大昔からありましたが、近代戦車は20世紀にならないと誕生しません。プラスチックモデルそのものも本書冒頭に書いたとおり第二次大戦後の文化です。戦争が終わり、まがりなりにも模型が楽しめる平和な時代にめぐり合わせたからこそ、こういった模型寝言を集めた本が出せました。幸せなことです。この先、デジタル技術の進化で模型の世界も変わっていきましょう。それでも「小さな現物がそこにある」ミニチュアの楽しみはなくなることはないと思います。

連載を続け単行本をまとめるにあたり、今回も吉祥寺怪人さんほか多くの方に大変にお世話になりました。原稿再録を快諾してくださった枻出版社の佐々木さんをはじめ、関係者のみなさまありがとうございました。不思議なご縁ですてきな推薦帯を描いてくださったヨシタケシンスケさん（と息子さん）にも大感謝です。

そして水玉さん、台湾迷彩会の王さん、モリナガはいまだに模型記事を描き続けているようです。

2020年6月　モリナガ・ヨウ

▲単行本用に作られた模型の一つが、タミヤ製ナースホルン（2014年発売）。あとから出たフンメル（2019年）を先に作ったことが、ナースホルンに仕組まれていたミニチュア世界への扉に気づくきっかけとなり、またタミヤ取材に持参することで、冒険への確信を深めることにつながった（吉）。

モリナガ・ヨウの

プラモ迷宮日記

第3集［フラットレッドの巻］

【著者略歴】

モリナガ・ヨウ

MORINAGA Yoh

1966年東京生まれ
早稲田大学教育学部卒（地理歴史専修）
漫画研究会在籍

▲興福寺、阿修羅像とともに（2018年／©田村邦男）

大学在学中よりカットイラストの仕事をはじめ、今日に至る。
イラストルポで独自の世界を築く。絵本も描く。
デビューは『朝日ウイークリー』［キャンパス光と影］イラスト。

●1996年：『空想科学読本』表紙オブジェ製作。以後、同シリーズすべての表紙オブジェを18年間担当
●1998年：『モデルグラフィックス』［35分の１スケールの迷宮物語］連載開始
●2002年：タカラ／海洋堂『ワールドタンクミュージアム』解説用イラスト
●2003年：タカラ／海洋堂『王立科学博物館』解説用イラスト
●2004年：第８回文化庁メディア芸術祭漫画部門に『35分の１スケールの迷宮物語』がノミネート（無念のノミネートどまり）。クインビーガーデン『黒澤 明　よみがえる巨匠の現場』解説用イラスト
●2005年『ワールドタンクミュージアム図鑑』出版
●2009年：バンダイ『昭和銀座ジオラマ』イラスト担当
●2010年：『UP』［トナリのシガク］、『歴史群像』［迷宮歴史倶楽部］連載開始
●2011年：『暮らしの知恵』［新聞ワンポイント］連載
●2015年：玉川学園『全人』［玉川発見伝］連載
●2016年：『築地市場　絵でみる魚市場の一日』で第63回産経児童出版文化賞、大賞を受賞
吉川弘文館『本郷』［江戸東京今昔めぐり］連載。東京銀座教文館ナルニア国にて原画展（９月）
LIXIL出版『南極建築1957-2016』イラスト担当
●2017年：早稲田学報特集『JAPANESE POPULAR CULTURE』特集号イラスト
●2018年：松本清張記念館『清張オマージュ展』探訪松本清張記念館イラスト。国際基督教大学博物館湯浅八郎記念館 特別展 松浦武四郎生誕二百年記念『ICUに残る一畳敷』イラスト。土木学会誌『土木まくのうち』連載
フジミ模型『名城シリーズ』組み立て説明図担当
●2019年：北九州市水環境館パネル。舞台『最貧前線』パンフ［お芝居のできるまで］イラスト

■著書

『35分の１スケールの迷宮物語』、『あら、カナちゃん！』
『ワールドタンクミュージアム図鑑』、『東京右往左往』、『プラモ迷宮日記　第１集［フィールドグレイの巻］』
『プラモ迷宮日記　第２集［ガンメタルの巻］』、『私家版戦車入門１　無限軌道の発明と英国タンク』
『私家版戦車入門２　戦車のはじまり　ドイツ・フランス篇』（以上、小社刊）
『図録王立科学博物館』（共著、三才ブックス刊）
『働く車大全集』、『モリナガ・ヨウの土木現場に行ってみた！』（以上、アスペクト刊）
『新幹線と車両基地』（平成22年度厚生労働省児童福祉文化財推薦作品）
『消防車とハイパーレスキュー』、『ジェット機と空港・管制塔』（以上、あかね書房刊）
『図解絵本　東京スカイツリー』、『図解絵本　工事現場』（溝渕利明：監修）（以上、ポプラ社刊）
『築地市場　絵でみる魚市場の一日』（小峰書店）
『パタパタえほん　はしれ！ こうそくどうろ』、『パタパタえほん　ぐる～りすいぞくかん』（以上、ほるぷ出版刊）
『東京大学の学術遺産　捃拾帖』（メディアファクトリー刊）
『迷宮歴史倶楽部　戦時下日本の事物画報』（学研プラス刊）など

【協力】株式会社タミヤ／株式会社BANDAI SPIRITS ホビー事業部／海洋研究開発機構JAMSTEC
株式会社バンダイ／フジミ模型株式会社／株式会社海洋堂／株式会社エフトイズ・コンフェクト
／ユニオンクリエイティブ株式会社／有限会社プラッツ／有限会社アスカモデル／株式会社椎出版社

◉３頁「プラモの設計図の最初のところみたいな文」参考文献：『日本生活史辞典』（吉川弘文館2016）
『しずおかホビーは凄い！』（財団法人静岡県文化財団／しずおかの文化新書2011）
『ブリューゲルの子供の遊戯』（森洋子／未來社1989）

モリナガ・ヨウの　プラモ迷宮日記
第３集　［フラットレッドの巻］

2020年 8月27日　初版第一刷

著者／モリナガ・ヨウ

発行人／小川光二
発行所／株式会社大日本絵画
〒101-0054　東京都千代田区神田錦町1丁目7番地
Tel：03-3294-7861（代表）　Fax：03-3294-7865
http://www.kaiga.co.jp

企画・編集／株式会社アートボックス
〒101-0054　東京都千代田区神田錦町1丁目7番地
錦町1丁目ビル4階
Tel：03-6820-7000　Fax：03-5281-8467
http://www.modelkasten.com

編集／卯月　緑
装丁・デザイン／横川　隆
撮影／株式会社インタニヤ

印刷／大日本印刷株式会社
製本／株式会社ブロケード

◎本書に掲載された記事、図版、写真等の無断転載を禁じます。
©2020　モリナガ・ヨウ／大日本絵画

ISBN978-4-499-23288-3